P9-DOH-251

INGLÉS en 100 días

2730 SW 3rd. Avenue, Suite 702
Miami, FL 33129

ISBN-13: 978-0-7394-5344-5

Impreso en U.S.A.

Aprenda las 1,000 Palabras y Frases Esenciales del Inglés Americano

Introducción

Introducción

Estimado Amigo,

¡Sí! Tú también puedes hablar inglés y te lo vamos a poner muy fácil con nuestro curso de **"Inglés en 100 días"**. Este es un curso desarrollado por profesores con mucha experiencia en enseñar inglés a personas como tú, cuyo idioma nativo es el español. Sabemos lo que necesitas: un inglés cotidiano que te permita desarrollar tu vida en Estados Unidos sin problemas de idioma. Sólo así podrás aprovechar al 100% las oportunidades que existen aquí. Hablar bien inglés es imprescindible.

Y también sabemos que tienes poco tiempo para aprender y necesitas un curso rápido, que no sea complicado y con el que puedas aprender de forma divertida, dedicándole sólo unos pocos minutos al día. Tienes muchas cosas que hacer desde que te levantas hasta que te acuestas. **"Inglés en 100 Días"** es el curso que andabas buscando.

¿Sabías que en español usamos de forma cotidiana sólo 500 palabras, si no tenemos en cuenta nuestras complicadas formas verbales? Pues bien, con **"Inglés en 100 días"**, en sólo 100 días te enseñaremos 1,000 palabras y frases esenciales del inglés americano. ¡El que necesitas para vivir y trabajar en los Estados Unidos!

Estados Unidos es el país que más oportunidades ofrece a quien emigra desde su país de origen buscando un futuro mejor. Venimos de países muy distintos a Estados Unidos. Renunciamos a muchas cosas cuando decidimos emigrar y las echamos mucho de menos. Ahora que estamos aquí, enseguida nos damos cuenta de que hablando inglés nuestras oportunidades son mucho mayores. ¡Dale! ¡Aprende inglés tú también!

Con **"Inglés en 100 días"** lo conseguirás en pocas semanas. Hemos creado este curso con mucho cariño, con mucho cuidado y sie[illegible] pensando en el inglés que tú necesitas. Hemos creado un perso[illegible] muchacho de Monterrey que llega a San Francisco a trab[illegible] A lo largo de las 30 unidades del curso, Luis irá e[illegible] situaciones que tú has vivido ya o que vas a viv[illegible] migraciones, encontrarse con amigos, buscar trabajo, pasar entrevistas, ir al supermercado, empezar a trabajar, comprar ropa, ir al banco, a la oficina de correos, etc.

Una vez hayas aprendido el inglés que necesitas, te vamos a ayudar a pronunciarlo bien. Así te entenderán mucho mejor y te será más fácil triunfar tú también en este país. Y para terminar, repasaremos juntos las 1,000 palabras y frases del inglés americano, con las que te defenderás en cualquier situación y en cualquier lugar.

Por si fuera poco, te damos también tres compact disc con los que escucharás todos los diálogos con los que empieza cada unidad, seguirás los más de 100 ejercicios que te hemos preparado para que practiques lo que vas aprendiendo y hasta conocerás cómo se pronuncia bien el inglés con acento americano.

Todos los que formamos parte de la Universidad del Inglés te deseamos mucho éxito en Estados Unidos. Hablar bien inglés te ayudará mucho. Ojalá que cuando termines este libro puedas decir que lo has logrado tú también. Con esa ilusión hemos trabajado mucho, pensando en ti siempre. Estaremos felices de escuchar tus comentarios y tu experiencia con nuestro curso, llámanos al teléfono (305) 856-4600 o escríbenos un e-mail a: trialteausa@grupoadi.com.

Con cariño,

Daniela Vives
Universidad del Inglés

Índice

Contents / Contenidos

Contents / Contenidos

Contents / Contenidos

Contents / Contenidos

Contents / Contenidos

Contents / Contenidos

Contents / Contenidos

Unit 1 Airport arrival/Llegada al aeropuerto

Lesson 1

1 Escuchemos el CD

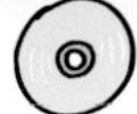

Cada vez que aparezca este ícono puedes escuchar el CD

Luis Flores llega a los Estados Unidos desde México. En el aeropuerto, pasa por el control de Inmigraciones y por la Aduana.

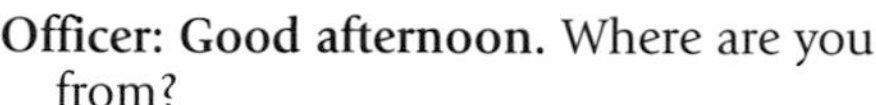

Officer: Good afternoon. Where are you from?
Luis: Good afternoon. I´m from Monterrey, Mexico.
O: Is this **your** final destination?
L: Yes.
O: Your passport, **please.**
L: Yes, **here you are.**
O: Fine. And your I-94 form, please.
L: **Excuse me?**
O: Your Immigration Form.
L: Oh, yes! It is in my bag. Just a minute, please ...**There you are.**
O: Fill in your address in the United States, please. And the city and state.

L: Oh, yes. **I´m sorry.**
O: Here´s a pen.
L: Thank you. Address in the United States ... 2200 Folsom St. Right. City, San Francisco and state ... California. Ready. **Here you are.**
O: **Thank you.** Well ...here´s your passport. Welcome to the United States.
L: **Thank you very much. Goodbye.**

(At Customs Control)

Customs Officer: Good afternoon. Do you have anything to declare?
L: Er,... no, nothing.
O: Could you open your suitcase, **please**?
L: Yes, ... it is a little difficult ... now, that´s it!
O: That´s fine, thank you. Enjoy **your** stay in the United States.
L: **Thanks a lot.**

Oficial: Buenas tardes. ¿De dónde es usted?
L: **Buenas tardes. Soy de Monterrey,** México.
O: ¿Es éste **su** destino final?
L: Sí.
O: Su pasaporte, **por favor.**
L: Sí, aquí tiene.
O: Bien. Y su forma I-94, por favor.
L: **¿Disculpe?**
O: Su Forma de Inmigraciones.
L: Ah, sí! Está en **mi** bolso. Un minuto, por favor... **Aquí tiene.**
O: Complete con su domicilio en los Estados Unidos, por favor. Y la ciudad y el estado.
L: Ah, sí. **Lo siento.**
O: Aquí tiene un bolígrafo.
L: Gracias. Domicilio en los Estados Unidos ...2200 Folsom St. Bien. Ciudad, San Francisco y estado ...California. Listo. **Aquí tiene.**
O: **Gracias**. Bien ...aquí tiene su pasaporte. Bienvenido a los Estados Unidos.
L: **Muchísimas gracias. Adiós.**

(En el Control de Aduana)

O: **Buenas tardes.** ¿Tiene algo para declarar?
L: Eh,...no, nada.
O: ¿Podría abrir su maleta, **por favor**?
L: Sí, ... es un poco difícil ... ahora, ¡ya está!
O: Muy bien, gracias. Disfrute **su** estadía en los Estados Unidos.
L: **Muchas gracias.**

2 Usemos el idioma

a. **Greetings/**Saludos:

Cuando **llegas** a un lugar a la mañana, debes saludar diciendo:	**Good morning.** (Buenos días)
Después del mediodía:	**Good afternoon.** (Buenas tardes)
Después de las 7 de la tarde:	**Good evening.** (Buenas tardes)
Cuando te **despides**, cualquiera sea la hora, dices:	**Goodbye, Bye** o **Bye, bye.** (Adiós)
y si te **vas a dormir:**	**Good night.** (Buenas noches)

b. **Giving someone something/**Entregar algo a alguien:

Cuando le entregas algo a alguien, puedes usar estas frases:

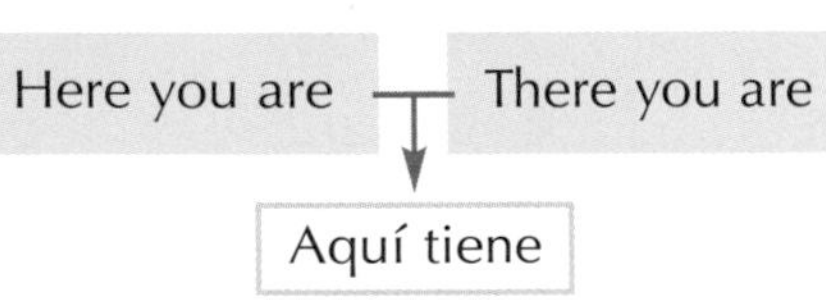
Here you are
There you are
Aquí tiene

c. **Thanking/**Agradecimientos:

Thanks (gracias)
Thank you (gracias)
Thanks a lot (muchas gracias)
Thank you very much (muchísimas gracias)

y te contestarán
You´re welcome.
(No hay de qué)

d. Fíjate en estas expresiones:

Cuando **pides algo:**	**Please:** (Por favor)
Cuando **no escuchaste** o **no entendiste** lo que te dijeron	**Excuse me?:** (¿Disculpe?)
Cuando **pides disculpas:**	**I´m sorry:** (Lo siento)

3 Estudiemos la gramática

a. Pronombres personales

Para nombrar personas, animales, cosas o situaciones sin usar directamente su nombre, se usan los pronombres sujeto:

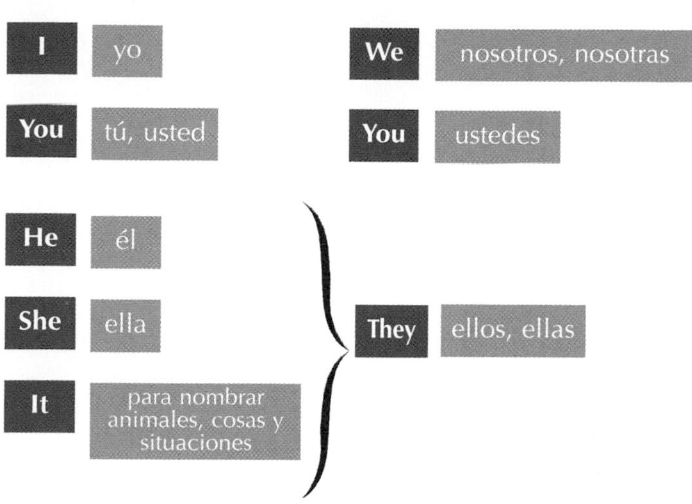

I	yo	**We**	nosotros, nosotras
You	tú, usted	**You**	ustedes
He	él	**They**	ellos, ellas
She	ella		
It	para nombrar animales, cosas y situaciones		

Tom is American.	Tom es americano.
He is American.	Él es americano.
Miami is my final destination.	Miami es mi destino final.
It is my final destination.	(....) Es mi destino final.
Bill and Luis are friends.	Bill y Luis son amigos.
They are Mexican.	Ellos son mexicanos.

I **am** (Yo soy o estoy)
You **are** (Usted es o está)
(Tú eres o estás)

We **are** (Nosotros/as somos o estamos)
You **are** (Ustedes son o están)

He **is** (Él es o está)
She **is** (Ella es o está)
It **is** (Ello es o está)

They **are** (Ellos/as son o están)

Ejemplos del verbo "to be" con el significado "ser":

I am Mexican (Yo soy mexicano)
We are Brazilian (Nosotros somos brasileños)

Ejemplos del verbo "to be" con el significado "estar":

He is in Miami (Él está en Miami)
They are in Miami (Ellos/as están en Miami)

4 Ejercicios para practicar lo que aprendimos

Las respuestas escritas (Key) están al pie de cada página

a. Completa con los saludos que corresponden a cada situación:
Escucha las respuestas correctas en el CD.

1........................

2........................

3........................

4........................

4a: 1 good afternoon, 2 good morning, 3 good evening, 4 good night

b. Escucha el CD y coloca estos diálogos en el orden correcto, escribiendo el número de orden entre paréntesis como en el ejemplo:

a. (.....) A: Here you are.
B: Thank you very much!
A: You're welcome.

b. (*1*) A: There you are.
B: Thank you!
A: You´re welcome.

c. (.....) A:Here you are.
B: Thanks a lot.
A: You're welcome.

d.(.....) A: There you are.
B: Thanks!
A: You´re welcome.

c. Escucha las siguientes oraciones en el CD y coloca "Please", "Excuse me", "I´m sorry" donde corresponda.

1: a: Your passport, ...
b: ....?
a: Your passport,........................
b: Oh, yes. .... Here you are.

2: a: I´m from Rio de Janeiro.
b: ....?
a: I´m from Rio de Janeiro.

3: a: Your I-94 form, ...
b: Yes, ... It is in my bag.
There you are.

4b: a 4, b 1, c 2, d 3.
4c: 1 a please, b Excuse me?, a please, b I'm sorry. 2 b Excuse me?. 3 a please. b I'm sorry

d. Escribe la palabra equivalente en inglés.

Yo	Ellos	Nosotros	Ustedes	Tú	Ella
1.........	2............	3............	4............	5............	6............

Nosotras	Usted	Ellas	Él	Neutro
7............	8............	9............	10..........	11..........

e. Combínalo con el verbo "to be":

1......am 2.....are 3..... is 4.....is 5......is 6.....are 7.....are 8.....are

f. Escucha el CD y completa las oraciones con el verbo "to be":

1. I .... Canadian. Yo soy canadiense.
2. My passport .... in my bag. Mi pasaporte está en mi bolso.
3. My name .... Ana. Mi nombre es Ana.
4. She .... at the airport. Ella está en el aeropuerto.
5. They .... on the plane. Ellos están en el avión.
6. You .... an Immigrations Officer. Tú eres empleado de la Aduana.

g. Coloca el verbo "to be" para completar estas oraciones:
Ej: (I / sorry) I am sorry

1. (Luis / from Monterrey) ....
2. (Here / your passport) ....
3. (They / in San Francisco) ....
4. (It / my final destination) ....
5. (I / Mexican) ....
6. (We / in the United States) ....

4d: 1 I 2 They 3 We 4 You 5 You 6 She 7 We 8 You 9 They 10 He 11 It 4e: 1 I 2 You 3 He 4 She 5 It 6 We 7 You 8 They 4f: 1 am 2 is 3 is 4 is 5 are 6 are. 4g: 1 Luis is from Monterrey 2 Here is your passport 3 They are in San Francisco 4 It is my final destination 5 I am Mexican 6 We are in the United States

Unit 2 Meeting friends/Encontrarse con amigos

Lesson 2

1 Escuchemos el CD

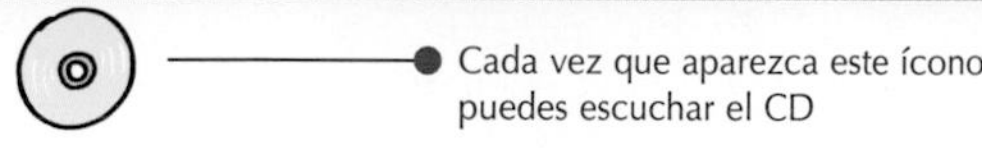

Cada vez que aparezca este ícono puedes escuchar el CD

Luis se encuentra con su amigo Bill, que fue a buscarlo al aeropuerto con Annie, una amiga.

Bill: Luis! **Hi!**
Luis: Hello, Bill, **how are you?**
B: I´m fine, and you?
L: **I´m very well. Thank you for** coming!
B: You're welcome. Oh, sorry! **This is my friend** Annie.
Annie: Hi, Luis. **Nice to meet you.** Welcome to San Francisco!
L: Thanks! **Nice to meet you, too.**

B: Are you tired?
L: Yes. The flight is very long.
B: How´s **your** family?
L: **They´re** o.k
A: **Where** exactly **are you from** ?
L: **I´m from** Monterrey.
A: **Is it a** beautiful city?
L: **Yes, it is.** Very beautiful
A: San Francisco is beautiful too.
L: And you? **Where are you from?**
A: **I´m from** Seattle.
L: Excuse me?
A: **I´m from** Seattle, Washington. It is near Canada.
L: Are you on vacation here?
A: No, I live and work in San Francisco.
L: Oh, I see!
A: Well, come this way, **my** car is in **that** parking lot.

Bill: ¡Luis! **¡Hola!**
Luis: Hola, Bill, **¿cómo estás?**
B: Yo estoy bien, ¿y tú?
L: **Yo estoy muy bien. ¡Gracias por** venir!
B: No hay de qué. Oh, disculpa! Esta es mi amiga Annie.
Annie: Hola, Luis. **Encantada de conocerte.** ¡Bienvenido a San Francisco!
L: Gracias. **Encantado de conocerte a ti** también.
B: ¿Estás cansado?
L: Sí. El vuelo es muy largo.
B: ¿Cómo está tu familia?
L: Ellos están bien.
A: **¿De dónde eres** exactamente?
L: **Soy de** Monterrey.
A: ¿**Es** una linda ciudad?
L: Sí, lo es. Muy linda.
A: San Francisco es bonita también.
L: ¿Y tú? **¿De dónde eres?**
A: **Soy de** Seattle.
L: ¿Disculpa?
A: **Soy de** Seattle, Washington. Está cerca de Canadá.
L: ¿Estás de vacaciones aquí?
A: No, vivo y trabajo en San Francisco.
L: Ah, entiendo.
A: Bien, vengan por aquí, **mi** automóvil está en aquel parqueo.

2 Usemos el idioma

a. Para **saludar a personas que ya conoces** puedes decir:

Hello, how are you?	Hola ¿cómo está usted?
Hi, how are you?	Hola ¿cómo estás tú?

Y **para responder** a este saludo puedes decir:

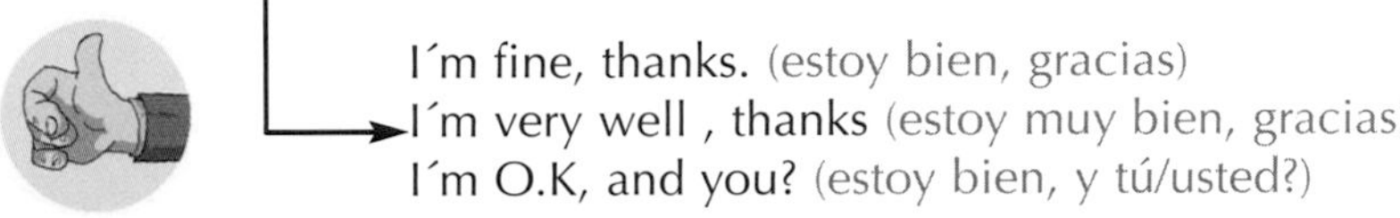

I´m fine, thanks. (estoy bien, gracias)
I´m very well , thanks (estoy muy bien, gracias)
I´m O.K, and you? (estoy bien, y tú/usted?)

b. Fíjate cómo se hacen las **presentaciones**:

Si te **presentas a ti mismo,** puedes decir:

My name is María Fontana.	Mi nombre es María Fontana.
Hello, **I´m** María.	Hola, yo soy María.

Cuando **presentas a otra persona,** puedes decir:

This is my friend Annie.	Esta es mi amiga Annie.

Cuando **las personas presentadas** se saludan, dicen:

Nice to meet you.	Encantado de conocerte.
Nice to meet you too.	Encantada de conocerte **a ti también.**

c. Veamos cómo le **agradeces** a alguien algo que hizo por ti:

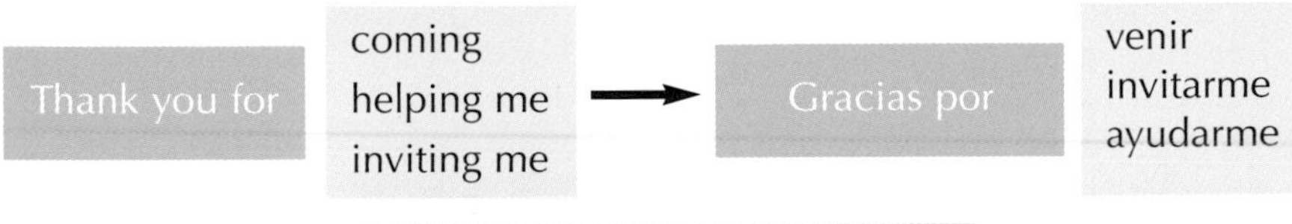

3 Estudiemos la gramática

a. Para **hacer preguntas usando el verbo "to be"** debemos cambiar de lugar al verbo y colocarlo al principio de la frase:

Afirmación: **She is** your friend. (Ella es tu amiga)

Pregunta: **Is she** your friend? (¿Es ella tu amiga?)

Al escribir, **se agrega** un solo signo de interrogación (?) al final de la oración.

Is he from Monterrey**?**	¿Es él de Monterrey?
Are you tired**?**	¿Estás cansado?
Are they friends**?**	¿Son ellos amigos?
Is it beautiful**?**	¿Es linda?
Is he happy**?**	¿Es él feliz?

b. En inglés, especialmente al hablar, muchas veces no se dicen algunas letras y se juntan las palabras. Son lo que se llama **"contracciones"**, y en el lugar de la letra que no se dice va un apóstrofo (´). La pronunciación de las palabras cuando se juntan es diferente de la de las palabras separadas. Veamos lo que sucede con el verbo "to be"en afirmaciones:

Escucha en el CD las diferencias de pronunciación.

I **am**	I´**m**	I´m from Portugal.
You **are**	You´**re**	You´re at the airport
He **is**	He´**s**	He's from Mexico
She **is**	She´**s**	She´s my friend
It **is**	It´**s**	It´s interesting
We are	We´**re**	We're happy
You are	You´**re**	You're tired
They are	They´**re**	They´re from California

También hay contracciones con los nombres:

Bill's from the U.S.A. **Bill is** from the U.S.A.
Annie's from Seattle. **Annie is** from Seattle.

En las **preguntas** con el verbo "to be" **las contracciones no se usan:**

Are you from Mexico? **Is** she American?

c. Para indicar pertenencia estudiaremos en esta lección dos palabras:

My (mi)	My name is Luis.	Mi nombre es Luis.
Your (tu, su)	What´s your name?	¿Cuál es tu/su nombre?

d. "This" y **"That"**: Se refieren a personas, cosas y animales sobre los que estamos hablando, como si los estuviéramos señalando.

This significa este, esta, esto → algo que está cerca de ti

This is my friend Annie.	Esta es mi amiga Annie.
This is my first trip.	Este es mi primer viaje.
Is **this** your first trip?	Es este tu primer viaje?

That significa "ese" "esa" "eso" "aquel" "aquella" "aquello"
→ algo que está lejos de ti

Is **that** your bag?	Es ese/aquel tu bolso?
That´s my friend Annie.	Aquella /Esa es mi amiga Annie.
My car is in **that** parking lot.	Mi automóvil está en aquel parqueo.

e. Para describir a las personas, cosas, animales o situaciones se usan **adjetivos,** que son palabras que nos dan información sobre sus características, por ejemplo: peso, duración, aspecto, sensación, etc.

Are you **tired**?.	¿Estás **cansado?**
The flight is **long.**	El vuelo es **largo.**
I´m really **happy.**	Estoy realmente **contento.**
It´s a **beautiful** city.	Es una **linda** ciudad.

4 Ejercicios para practicar lo que aprendimos

Las respuestas escritas (Key) están al pie de cada página.

a. Escucha el CD y completa los espacios en blanco:

1. Good ....
2. We..........friends
3. Here you...........
4. ...., Bill
5. I´m ....
6. Nice to .... you
7. Your passport ....
8. I ....from San Francisco

b. Transforma estas oraciones afirmativas en preguntas:

You are from San Francisco ——► **Are you** from San Francisco?

1. She is your friend	....................your friend?
2. They are in my bag	....................in my bag?
3. You are tired	....................tired?
4. This is my car	....................my car?
5. He is Mexican	....................Mexican?

c. Escribe las contracciones que se usan en cada caso:

1.I am:	.... Mexican
2.You are:	.... my friend
3.He is:	.... tired
4.She is:	.... from Seattle
5.It is:	.... beautiful
6.We are:	.... in San Francisco
7.You are:	.... happy
8.They are:	.... American

4a: 1 morning, 2 are, 3 are, 4 Hi, 5 sorry, 6 meet, 7 please, 8 am . 4b: 1 is she, 2 are they, 3 are you, 4 is this 5 is he 4c: 1 I'm, 2 You're, 3 He's, 4 She's, 5 It's, 6 We're, 7 You're, 8 They're.

d. Completa con "**my**" o "**your**"

1. ....name is Annie. Annie Preston.
2. Is that ....bag?
3. Yes, this is ....bag.
4. What´s ....name, please?
5. ....name is Luis.
6. .... passport, please.

e. Escucha el CD y tacha lo que no escuches. 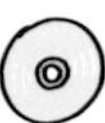

1. Hello, this/that is my friend Michael.
2. Is this/that your car?
3. This/that is my first trip to the United States.
4. This/That is my passport and this/that is my I-94 form.
5. My car is in this/that parking lot.
6. This/that is a big city.

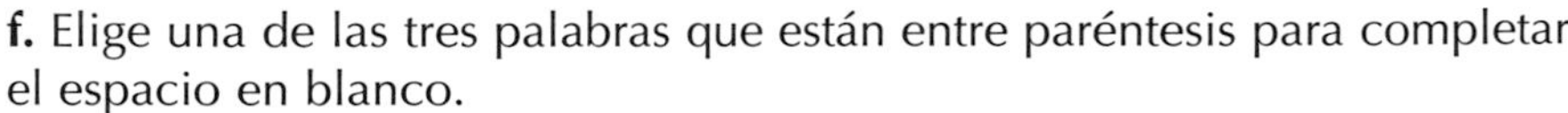

f. Elige una de las tres palabras que están entre paréntesis para completar el espacio en blanco.

1. This .... my friend Annie. (am-is-are)
2. .... to meet you. (nice-beautiful-tired)
3. Here .... are (I-she-you)
4. My car is in .... parking lot (it-here-that)
5. I am very .... to be here (nice-tired-happy)
6. Thank .... very much (he-my-you)

4d: 1My 2 your 3 my 4 your 5 My 6 Your. 4e: 1This 2 that 3 This 4 This, this 5 That 6 This.
4f: 1is 2 nice 3 you 4 that 5 happy 6 you.

Unit3 Nationalities/Nacionalidades

Lesson 3

1 Escuchemos el CD

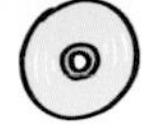

Cada vez que aparezca este ícono puedes escuchar el CD

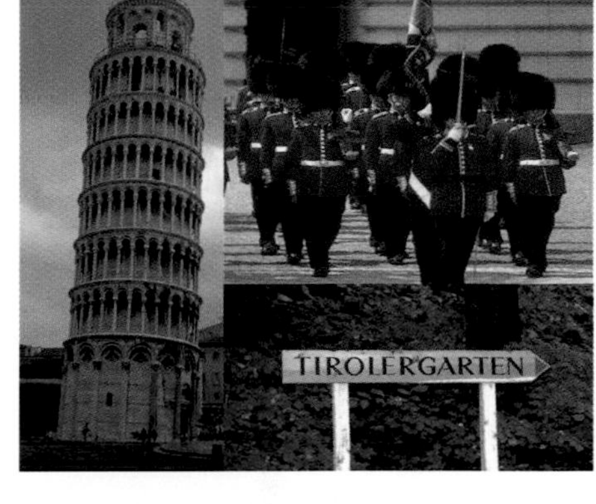

Bill invitó a Annie a cenar al departamento que ahora comparte con Luis.

Bill: Hi, Annie. **Come in,** please. **How are you doing?**
Annie: I´m fine, and you?
Bill: I´m O.K, thanks. **I´m watching** t.v.

Annie: And Luis? **Is** he **sleeping?**
Bill: No, **he isn´t.** He´s in the kitchen. Luis, Annie´s here!
Luis: Oh, hi Annie, **how´s it going?**
Annie: Very well, and you? Are you still tired?
L: No, **I´m not tired** now. I´m fine.
B: Let´s take a seat!
A: Bill, **are** you **cooking** dinner?
B:No, **I´m not.** Luis **is cooking** a typical Mexican dish.
A: Oh, I love **Mexican** food! ¡Me encanta!
L: Hey, you speak **Spanish!**
A: Un poco. A little. I´**m studying** Spanish at university.
L: Only Spanish?
A: No, I´**m** also **studying Italian** and **German**.
L: Well, I teach you Spanish and you teach **me English**!
A: Sounds good!
B: Who is going to help **me** with the food here?
L: I´m coming! I´m coming!

Bill: Hola, Annie. **Pasa**, por favor. **¿Cómo estás?**
Annie: Bien, ¿y tú?
Bill: Yo estoy bien, gracias. **Estoy mirando** televisión.
Annie: ¿Y Luis? **¿Está durmiendo?**
Bill: No. Está en la cocina.¡Luis, Annie está aquí!
Luis: Oh, hola Annie, **¿Cómo va todo?**
Annie: Muy bien, ¿y tú? ¿Estás cansado todavía?
L: No, ahora **no estoy cansado**. Estoy bien.
B: ¿Nos sentamos?
A: Bill, **¿estás cocinando** la cena?
B: No. Luis **está cocinando** un plato típico mexicano.
A: ¡Ah, me encanta la comida **mexicana!**
L: ¡Hey, tú hablas **español!**
A: Un poco. **Estoy estudiando** español en la universidad.
L: ¿Sólo español?
A: No, también **estoy estudiando italiano y alemán.**
L: Bien ¡yo **te** enseño español y tú me enseñas **inglés!**
A: ¡Suena bien!
B: ¿Quién **me** ayuda con la comida aquí?

L: ¡**Ya voy,** ya voy!

2 Usemos el idioma

a. Greetings/Saludos**:** veamos otras opciones

How are you doing?	¿Cómo estás?
How is it going?	¿Cómo va todo?
How are things?	¿Cómo están las cosas?
Hello, there!	¡Hola!

b. Cuando **invitas a alguien a tu casa** estas frases pueden ser útiles:

Come in, please
Come on in, please
} Pasa, por favor.

c. Cuando **sugieres hacer algo**, puedes usar **Let´s (let us: permítenos)** de esta forma:

Let´s	take a seat.	¿Nos sentamos?
	watch a movie.	¿Miramos una película?
	look at some photos.	¿Miramos algunas fotos?

d. Algunos países y sus nacionalidades e idiomas. Fíjate que siempre se escriben con letra mayúscula.

1) **Países en los cuales la nacionalidad y el idioma se dicen igual:**

Country (País)	Nationality (Nacionalidad)	Language (Idioma)
England (Inglaterra)	English (Inglés/a)	English (Inglés)
Spain (España)	Spanish (Español/a)	Spanish (Español)
Germany (Alemania)	German (Alemán/a)	German (Alemán)
Japan (Japón)	Japanese (Japonés/a)	Japanese (Japonés)
China (China)	Chinese (Chino/a)	Chinese (Chino)
Italy (Italia)	Italian (Italiano/a)	Italian (Italiano)

2) **Países en los cuales la nacionalidad y el idioma se dicen de manera diferente:**

Country (País)	Nationality (Nacionalidad)	Language (Idioma)
Colombia	Colombian (Colombiano/a)	Spanish (Español)
United States	American (Norteamericano)	English (Inglés)
Venezuela	Venezuelan (Venezolano)	Spanish (Español)
Puerto Rico	Puerto Rican (Puertorriqueño/a)	Spanish (Español)
Brazil	Brazilian (Brasileño/a)	Portuguese (Portugués)
Mexico	Mexican (Mexicano/a)	Spanish (Español)

e. Fíjate en esta frase que se usa en el idioma coloquial:

I´m coming! (¡Ya voy!) ●—— Cuando alguien te llama, por ejemplo, desde otro lugar de la casa.

3 Estudiemos la gramática

a. Las contracciones pueden aplicarse también en las negaciones. Existen dos maneras de formar las contracciones con todos los pronombres, excepto con "**I**":

I am not	I´**m not**	I´**m not** Spanish	Yo **no soy** español
You are not	You´**re not**/ You **aren´t**	You **aren´t** tired	Tú n**o estás** cansado
She is not	She´**s not** /She **isn´t**	She´**s not** in the kitchen	Ella **no está** en la cocina
He is not	He´**s not**/ He **isn´t**	He is**n´t** Italian	Él **no es** italiano
It is not	It´**s not** /It is**n´t**	It´**s not** my car	**No es** mi automóvil
We are not	We´**re not** /We **aren´t**	We **aren´t** Canadian	Nosotros **no somos** canadienses
You are not	You´**re not**/ You **aren´t**	You´**re not** tired	Ustedes **no están** cansados
They are not	They´**re not**/ They **aren´t**	They **aren´t** Spanish	Ellos **no son** españoles

b. Los tiempos verbales nos sirven para expresar en qué momento están sucediendo las acciones de las que hablamos.

El primero que estudiaremos se llama: **Present Continuous** (Presente Continuo).
Se forma con el verbo **to be** + **otro verbo** que termina en **"ing"**:

I am | watch | ing t.v

To be + watch + ing

Estoy mirando televisión

Se usa para indicar **acciones que están ocurriendo en el momento en que se está hablando:**

Luis **is cooking** dinner Luis **está cocinando** la cena

Podemos usarlo con estas expresiones: **now** (ahora) **right now** (en este momento):

Luis **is cooking** dinner **right now** Luis e**stá cocinando** la cena **en este momento**

y para indicar **acciones que están ocurriendo en un período más extendido de tiempo** (hoy, esta semana, este mes, este año)

I **am studying** English Estoy **estudiando** inglés

Podemos usarlo con estas expresiones:

this week (esta semana) **this month** (este mes) **these days** (estos días) **this year** (este año)

Afirmaciones

I **am studying**	We **are studying**
You **are studying**	You **are studying**
He **is studying** She **is studying** It **is studying**	They **are studying**

Negaciones : se forman agregando **not** entre el verbo **to be** y el otro verbo:

I **am not** studying	We **are not** studying
You **are not** studying	You **are not** studying
He **is not** studying She **is not** studying It **is not** studying	They **are not** studying

Preguntas: Se forman colocando primero el verbo **to be**, después el pronombre y luego el otro verbo + ing:

Am I studying ?	**Are we** studying?
Are you studying?	**Are you** studying?
Is he studying? **Is she** studying? **Is it** studying?	**Are they** studying?

c. Los **pronombres objeto** son pronombres personales que se usan **después del verbo.**

Pronombre Sujeto (delante del verbo)	**Pronombre objeto** después del verbo
I (yo)	**me** (me-a mí)
You (tú)	**you** (te-a ti)
He (él)	**him** (le-lo-a él)
She (ella)	**her** (le-la-a ella)
It (ello)	**it** (le-lo-a ello)
We (nosotros/as)	**us** (nos-a nosotros/tras)
You (Ustedes)	**you** (a ustedes)
They (Ellos/as)	**them** (a ellos/as-les-las-los)

You are teaching **me** English.	Tú **me** estás enseñando inglés **(a mi).**
I am teaching **you** Spanish.	Yo **te** estoy enseñando español **(a ti).**
He is showing **her** some photos.	Él **le** está mostrando **a ella** algunas fotos.
She is helping **him.**	Ella lo está ayudando **(a él).**
I know **it.**	Yo **lo** sé.
We are teaching **you** English.	Nosotros **les** estamos enseñando **(a ustedes)** inglés.
You are helping **us.**	Ustedes **nos** están ayudando **(a nosotros).**
I am showing **them** a photo.	Yo **les** estoy mostrando **a ellos** una foto.

4 Ejercicios para practicar lo que aprendimos

Las respuestas escritas (Key) están al pie de cada página

a. Trata de recordar lo que dirías en estas situaciones.

1. Un amigo llega a tu casa. ¿Cómo lo invitas a pasar? ....
2. ¿Cómo sugieres mirar una película? ....
3. ¿Cómo saludas a un amigo en el cine? ....

b. En este cuadro de países, nacionalidades e idiomas hay espacios en blanco. Complétalos.

Country	**Nationality**	**Language**
1.	....	Italian
2. Puerto Rico	....	....
3. Venezuela	Venezuelan	....
4.	English	English
5. Brazil	....	....

c. Escribe las siguientes oraciones negativas con contracciones. Donde haya dos posibilidades, escríbelas.

1-She is not a cook	2-They are not Mexican	3-I am not tall
....	....	....
....	....	....
4-We are not tired	**5- He is not sleeping**	**6-You are not a doctor**
....	....	....
....	....	....

4a: 1 Come in/Come on in 2 Let´s watch a movie 3 Hi, how are you doing? How´s it going?/How are things?
4b: 1 Italy Italian 2 Puerto Rican Spanish 3 Spanish 4 England 5 Brazilian, Portuguese
4c: 1 She´s not/She isn´t 2 They´re not/They aren´t 3 I´m not 4 We´re not/We aren´t 5 He´s not/He isn´t 6 You´re not/You aren´t

d. Forma oraciones como en el ejemplo usando el presente continuo en afirmaciones, negaciones y preguntas: Ej: (I /not /study/Spanish) I´m not studying Spanish

1. (She/cook/dinner) ....
2. (They / study/ Spanish) ....
3. (We / not/ watch/ t.v) ....
4. (He /cook/ dinner?) ....
5. (We / not/ study/ English) ....

e. 1. Elige entre los verbos de la lista y forma oraciones en presente continuo. La oración 1 te sirve de ejemplo:

show (mostrar) cook (cocinar) watch (mirar) help (ayudar) sleep (dormir)

1. Luis...is... ...showing.........some photos.
2. Bill............. ....t.v.
3. Annie and Bill................ ....dinner. (negative)
4. Annie............. ....sleeping. (negative)
5. Bill and Annie............ .... Luis with dinner. (negative)

2.Transforma las oraciones anteriores en preguntas, como en el ejemplo:

1. ...Is... Bill ..showing.. some photos?
2. .... Bill .... t.v?
3. .... Annie and Bill ....dinner?
4. .... Annie ....?
5. .... Bill and Annie .... Luis with dinner?

f. Reemplaza las palabras en negrita por **me/you/him/her/it/us/them** como en el ejemplo:

1. Luis is showing **Annie and Bill** some photos.

   Luis is showing ...them...some photos.

2. Bill is watching a **t.v** program.

   Bill is watching...............

3. Annie tells **Luis** about her family.

   Annie tells .... about her family.

4. Luis tells **Annie** about his family.

   Luis tells .... about his family.

4d: 1 She´s cooking dinner 2 They´re studying Spanish 3 We´re not watching t.v 4 Is he cooking dinner? 5 We´re not studying English 4e: (1) 2 is watching 3 aren´t cooking 4isn´t sleeping 5 aren´t helping (2) 2 Is/watching 3 Are/cooking 4 Is/sleeping 5 Are/helping 4f: 2 it 3 him 4 her

Lesson 4

1 Escuchemos el CD

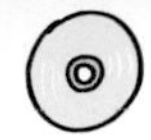

Cada vez que aparezca este ícono puedes escuchar el CD

Después de cenar, Luis, Annie y Bill miran fotos familiares y hablan de sus orígenes y sus familias.

Luis: Look, I **have** some photos of my family.
Annie: Great!, I love photos
L: This is my **father**, Antonio. And this is my **mother, her** name's Amparo.
A: Wow, you **look like** your **father! His hair,...** and **his eyebrows**... And your **mother** is very beautiful.
L: Oh, yes! And she's a very **nice** person, too. This is Andrés, my brother. He´s very **tall** and **thin**. And very **funny!**
A: And this girl with **curly hair** and **big brown eyes?**
L: She´s Rosa, my **sister.**
A: How old is she?
L: She´s 18. She´s a very **sweet** and **intelligent** girl. And you, Annie? **Tell me about your family.**
A: Well, my **parents** live in Seattle, my hometown. And I have **a brother. His** name's Patrick and **he´s 23 years old.** I have a photo ... here you are.
L: You **look like** your father too. **Fair hair** ... and **blue eyes...**
A: Yes, but I **am like** my mother, **cheerful** and a little **absent-minded.**
Bill: Well, **guys,** this conversation is very interesting but **let´s watch a movie,** O.K?
A and L: Great idea!

Luis: Miren, **tengo** algunas fotos de mi familia.
Annie: ¡Fantástico! Me encantan las fotos.
L: Este es mi **padre**, Antonio.Y esta es mi **madre, su** nombre es Amparo.
A: ¡Guau, **te pareces** a tu **padre! Su cabello,** ... y **sus cejas...** Y tu **madre** es muy bonita.
L: ¡Ah, sí! Y es **una** persona **encantadora** también. Este es Andrés, mi hermano. Es muy **alto** y **flaco**. ¡Y muy **divertido!**
A: ¿Y esta chica con **cabello enrulado** y **ojos grandes marrones?**
L: Es Rosa, mi **hermana.**
A: ¿Cuántos años tiene?
L: Tiene 18 años. Es **una** chica muy **dulce** e **inteligente.** ¿Y tú, Annie? **Cuéntame sobre tu familia.**
A: Bueno, mis **padres** viven en Seattle, mi ciudad natal. Y tengo **un hermano. Su** nombre es Patrick y **tiene 23** años. Tengo **una** foto ... aquí tienes.
L: Tú también te **pareces** a tu **padre. Cabello rubio** ... y **ojos azules...**
A: Sí, pero **soy** como mi **madre, alegre** y un poco **distraída.**
Bill: Bueno, **chicos,** esta conversación es muy interesante pero, **¿miramos una película?**
A y L: ¡Buena idea!

2 Usemos el idioma

a. Hablemos **de la familia**

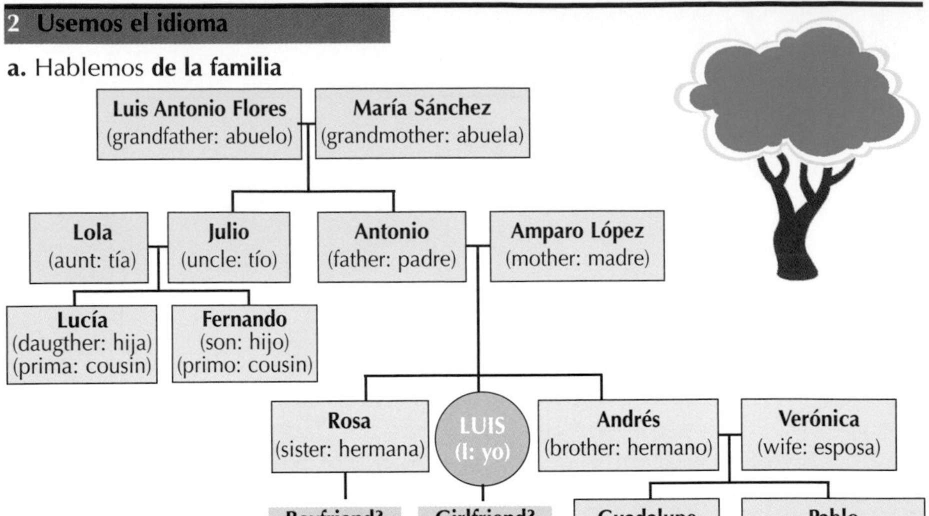

b. Pidámosle a alguien que nos **cuente sobre su familia:**

Tell me about your family. **Cuéntame sobre** tu familia

c. Partes de la cara. Escucha el CD.

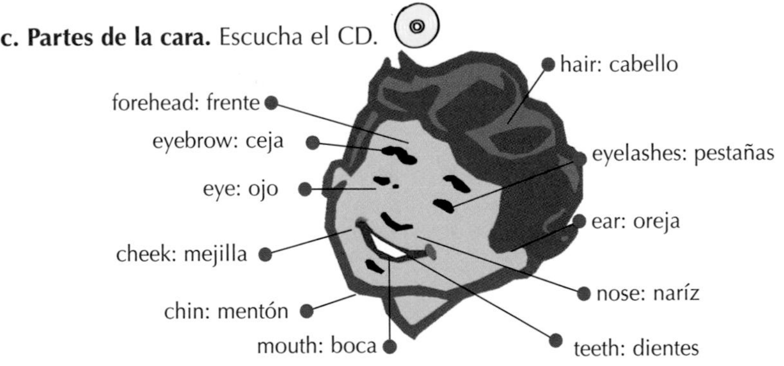

d. Puedes **describir las partes de la cara** de esta forma:

Hair (cabello):	black (negro) brown (castaño) fair (rubio) red (pelirrojo) curly (enrulado) wavy (ondulado) straight (lacio) long (largo) short (corto)
Eyes (ojos):	blue (azul) light blue (celeste) brown (marrón) green (verde) big (grande) small (pequeño)

e. Cuando **te diriges a un grupo de gente de manera informal**, puedes usar la palabra "**guys**", que quiere decir "chicos", "chicas" "gente" y es muy común en el lenguaje de todos los días:

Well, **guys**, this conversation is very interesting but let´s watch a movie, o.k?
(Bill les está hablando a Luis y a Annie)

f. Para **preguntar la edad y para decirla**, debes usar el verbo **to be,** mientras que en español usamos el verbo tener:

How old **are** you?	¿Cuántos años **tienes** tú?
I´**m** 23 years old I´**m** 23	**Tengo** 23 años.

g. Los números del 1 al 50: Escucha la pronunciación en el CD

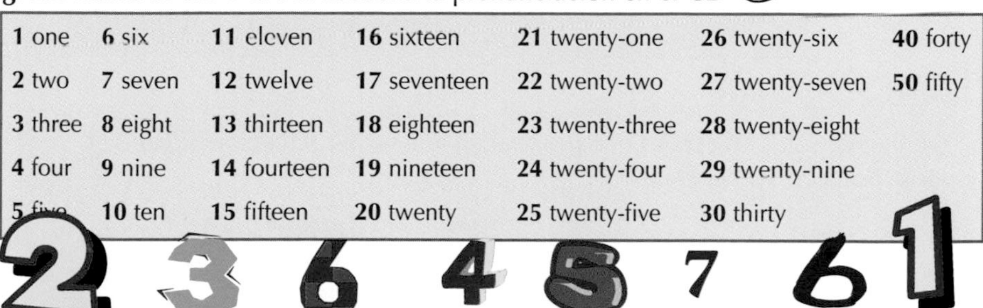

1 one	**6** six	**11** eleven	**16** sixteen	**21** twenty-one	**26** twenty-six	**40** forty
2 two	**7** seven	**12** twelve	**17** seventeen	**22** twenty-two	**27** twenty-seven	**50** fifty
3 three	**8** eight	**13** thirteen	**18** eighteen	**23** twenty-three	**28** twenty-eight	
4 four	**9** nine	**14** fourteen	**19** nineteen	**24** twenty-four	**29** twenty-nine	
5 five	**10** ten	**15** fifteen	**20** twenty	**25** twenty-five	**30** thirty	

3 Estudiemos la gramática

a. El verbo **to have (tener)**:
Fíjate cómo se usa **"has"**en vez de **"have"** con "He", "She", "It".

I **have** (Yo tengo)	We **have** (Nosotros/as tenemos)
You **have** (Usted tiene/Tú tienes)	You **have** (Ustedes tienen)
He **has** (Él tiene) She **has** (Ella tiene) It **has** (Ello tiene)	They **have** (Ellos/as tienen)

b. En la Lección 1B estudiamos **"my"** y **"your"**, que se usan para indicar posesión. Ahora completaremos la lista de adjetivos posesivos:

my: mi	**our:** nuestro
your: tu-su (de usted)	**your:** su-(de ustedes)
his: su (de él) **her:** su (de ella) **its:** su (de animal o cosa)	**their:** su-(de ellos/as)

I have a brother. **His** name´s Patrick. Tengo un **hermano**. **Su** nombre es Patrick.
This is my mother. **Her** name´s Amparo. Esta es mi **madre**. **Su** nombre es Amparo.

c. Comparemos estas dos expresiones: **"be like"** (am-is-are) and **"look like"**:

"be like" (am-is-are) se usa cuando te refieres a la **personalidad** de una persona:

I´**m like** my mother, a little absent-minded. **Soy como** mi madre, un poco distraída

"look like" se usa cuando te refieres a su **aspecto físico**:

You **look like** your father. **Te pareces físicamente** a tu padre.

d. El articulo indefinido **"a"** significa **"un-una"** y se usa cuando la palabra que sigue se escribe con consonante. Cuando la palabra que sigue comienza con vocal, se usa **"an"**:

a restaurant **un** restaurante	**an** uncle **un** tío
a brother **un** hermano	**an** American **un/a** norteamericano/a

e. Estudiemos estos adjectivos que nos ayudan a describir **la personalidad** o **el aspecto físico** de las personas:

Personalidad	**Aspecto físico**
nice: agradable	tall: alto/a
funny: divertido/a	short: bajo/a
sweet: dulce	thin: delgado/a
intelligent: inteligente	overweight: excedido/a en peso
cheerful: alegre	
absent-minded: distraído/a	

She´s a very **nice** person.	Es una persona muy **agradable.**
He´s very **tall.**	Él es muy **alto.**
He´s very **thin** and quite **funny.**	Él es muy **flaco** y bastante **divertido**.
She´s a very **intelligent** girl.	Ella es una chica muy **inteligente.**

4 Ejercicios para practicar lo que aprendimos

Las respuestas escritas (Key) están al pie de cada página

a. Completa con **my**, **your**, **his**, **her**, **its**, **our**, **their**:

1. .... name is Luis. I´m Mexican.

2. .... name is Annie. She´s American.

3. .... name is Bill. He´s American, too.

4. We live in San Francisco. .... apartment is on Folsom St.

5. They live in Hollywood. .... house is on Mulholland Dr.

b. Completa con **"a"** o **"an"**:

1.......doctor	3........intelligent girl	5....... brother	7.......artist	9......idea
2.......movie	4.......sister	6.......airport	8.......cook	10......friend

c. Completa con **"be like"** (am-is-are) o **"look like"**:

1. Annie ....her father. They both have fair hair and blue eyes.

2. But she .... her mother: cheerful and a little absent-minded.

3. I...... ......my father: very intelligent and funny.

4. But you .... your mother: you're not very tall and you have brown eyes.

d. Coloca los nombres que correspondan a las partes de la cara:

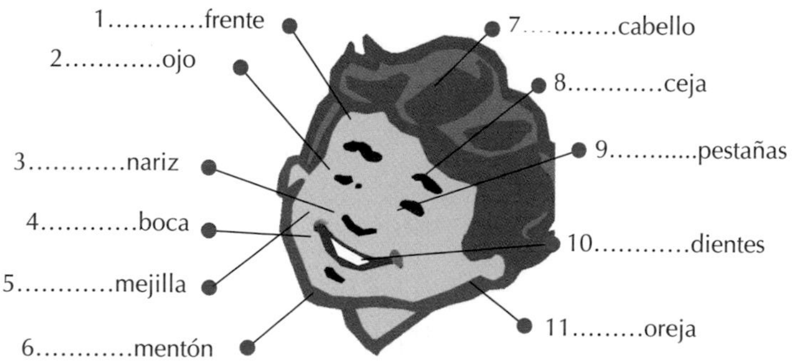

4a: 1 My 2 Her 3 His 4 Our 5 Their 4b:1 a 2 a 3 an 4 a 5 a 6 an 7 an 8 a 9 an 10 a
4c:1 looks like 2 is like 3 am like 4 look like
4d:1 forehead 2 eye 3 nose 4 mouth 5 cheek 6 chin 7 hair 8 eyebrow 9 eyelashes 10 teeth 11 ear

e. Completa los espacios en blanco con los adjetivos de la lista que se refieran a personalidad o a aspecto físico.

Nice tall funny short sweet thin intelligent overweight cheerful absent-minded:

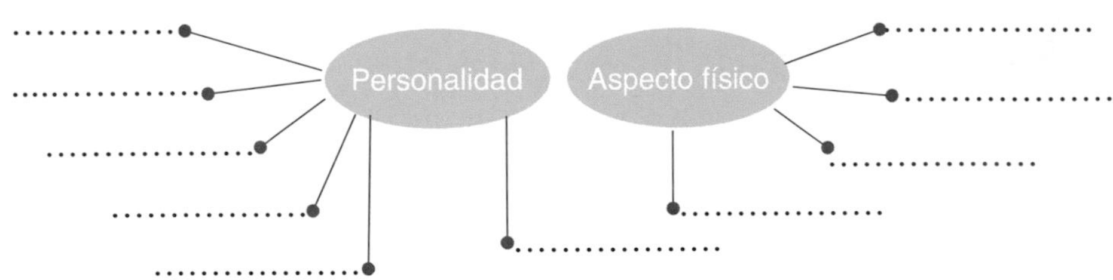

f. Completa estas oraciones usando los adjectivos con información sobre tu familia:

Ej: My mother is short and thin

1. My mother is ....and...........
2. My father is ....and...........
3. My sister is .... and ....
4. My brother is .... and ....

g. Escribe los números correspondientes: Escucha la pronunciación en el CD. 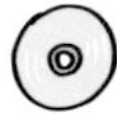

1. one..............
2. five..............
3. twenty-two..............
4. eight..............
5. fourteen..............
6. eleven..............
7. ten..............
8. seven..............
9. thirteen..............
10. six..............
11. sixteen..............
12. twenty..............
13. fifty..............
14. eighteen ....
15. fifteen..............
16. forty-one..............
17. three..............
18. twenty-three..............
19. four..............
20. nineteen..............
21. twenty-six..............
22. twelve..............
23. twenty-nine..............
24. nine..............
25. thirty-four..............
26. seventeen..............
27. two..............
28. thirty..............
29. fifty-five ....
30. fifty-eight ....

4e: Personalidad: nice-funny-sweet-intelligent-cheerful-absent-minded. Aspecto físico: tall-short-thin-overweight
4g: 1:1, 2:5, 3:22, 4:8, 5:14 6:11, 7:10, 8:7, 9:13, 10:6, 11:16, 12:20, 13:50, 14:18, 15:15, 16:41, 17:3, 18:23, 19:4 20:19 21:26 22:12, 23:29, 24:9, 25:34, 26:17, 27:2, 28:30, 29:55, 30:58.

Unit 5 Dinner at home / Cena en casa

Lesson 5

1 Escuchemos el CD

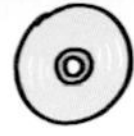

Cada vez que aparezca este ícono puedes escuchar el CD

Bill, Annie y Luis se encuentran para cenar en el departamento de Annie.

Annie: Hi! **Welcome** home! **Let me take your coats.**

Bill and **Luis:** Here you are, thank you.

L: Wow! Annie, you have a beautiful apartment. **What a** nice view!

A: Oh, yes, thank you! Please, have a seat and **help yourselves** to some drinks.

L: Thanks. **Do you cook?**

A: (laughing) No, **I don´t.** Really, I **never** cook. I **usually** eat out. But this is a special occasion.

L: Oh! Thanks a lot!

B: Hey, Annie! You have a lot of movies! **Do you watch** movies on weekends?

A: I always watch a movie and **try** to relax .

B: She **generally works** a lot during the week, so **she doesn't work** on weekends. She **likes** to relax.

L: I see.

A: Luis, **how do you feel** in San Francisco?

L: I feel a bit homesick but I'm fine.

B: Cheer up! This is your first weekend in San Francisco. We'll show you the city.

A: Dinner is ready! Let's begin with this homemade green salad.

Annie: ¡Hola! **¡Bienvenidos a mi casa! Permítanme sus abrigos.**

Bill and **Luis:** Aquí tienes, gracias.

L: Annie, tienes un departamento hermoso. ¡**Qué** bella vista!

A: Ah, sí, gracias. Por favor, siéntense y **sírvanse** algo para beber.

L: Gracias. **¿Tú cocinas?**

A: (riéndose) No, **no cocino.** En realidad, **nunca** cocino. Como afuera **usualmente**. Pero esta es una ocasión especial.

L: ¡Muchas gracias!

B: ¡Annie, tienes un montón de películas! ¿**Miras** películas los fines de semana?

A: Siempre miro una película y **trato** de relajarme.

B: Ella **generalmente trabaja** mucho durante la semana, por eso **no trabaja** los fines de semana. **Le gusta** relajarse.

L: Entiendo.

A: Luis, **¿cómo te sientes** en San Francisco?

L: Me siento un poco nostálgico, pero estoy bien.

B: ¡Arriba el ánimo! Este es tu primer fin de semana en San Francisco. Te mostraremos la ciudad.

A: ¡La cena está lista! Comencemos por esta ensalada verde casera.

2 Usemos el idioma

a. Para **preguntarle a alguien cuál es su trabajo,** dirás:

What do you do?	¿Qué haces? ¿A qué te dedicas?
What´s your job?	¿Cuál es tu trabajo?

b. Cuando **llegan invitados a tu casa**, puedes recibirlos de la siguiente manera:

Welcome home! — ¡**Bienvenido/a** a casa! / ¡**Bienvenidos/as** a casa!

Can I take your coats?	**¿Pueden darme** sus abrigos?
Let me take your coats.	**Permítanme** sus abrigos.

c. Para **invitarlos a que se sirvan comida o bebida**, puedes decir:

Help yourself to some drinks, please. — **Sírvete/Sírvase** algo para beber, por favor.

Singular, 1 persona

Help yourselves to some drinks, please. — **Sírvanse** algo para beber, por favor.

Plural, más de una persona

d. Puedes **expresar que algo te agrada** de la siguiente manera:

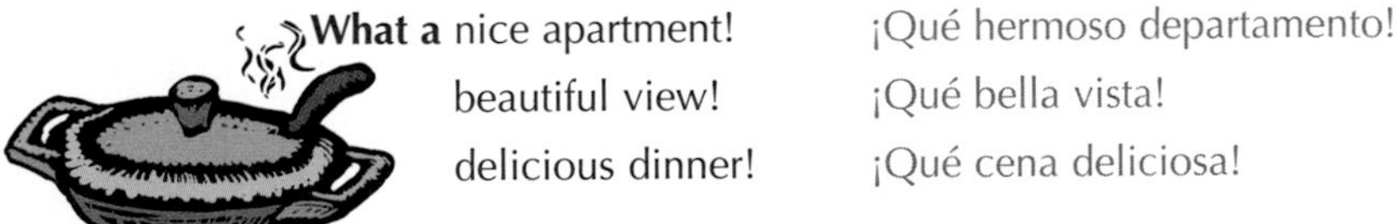

What a nice apartment!	¡Qué hermoso departamento!
beautiful view!	¡Qué bella vista!
delicious dinner!	¡Qué cena deliciosa!

e. Fíjate en esta expresión que se usa para **levantarle el ánimo a una persona:**

Cheer up! — **¡Arriba el ánimo!**

f. week (semana) and **weekend** (fin de semana)

I work a lot **during the week.**	Yo trabajo mucho durante la **semana.**
This is your first **weekend** here.	Este es tu primer **fin de semana** aquí.

3 Estudiemos la gramática

a. El tiempo Presente Simple **(Simple Present)** se usa:

- para describir **hábitos o rutinas**:

He **plays** basketball	Él juega al basquetbol
She **works** a lot	Ella trabaja mucho

-con el verbo **to be** para expresar **situaciones o estados permanentes:**

She **is** very beautiful	Ella **es** muy bonita
My father **is** a doctor	Mi padre **es** médico

-para expresar **posesión**, con el verbo **to have** (tener):

You **have** a beautiful apartment	**Tienes** un departamento hermoso

Oraciones afirmativas
Se debe **agregar una "s"** con **"He"**, **"She"** o "**It"**. Tomaremos como ejemplo el verbo "live" (vivir):

I live (Yo vivo) — We live (Nosotros/as vivimos)
You live (Tú vives/Usted vive) — You live (Ustedes viven)

He live**s** (Él vive)
She live**s** (Ella vive) } They live (Ellos viven)
It live**s** (Ello vive)

Oraciones interrogativas
Cuando preguntamos se usa el auxiliar **do** o **does**, que no se traduce.
En la tercera persona del singular (He, She, It) al usar el auxiliar **does** para hacer la pregunta, **el verbo no lleva "s"**.

Do I live? (¿Vivo yo?) — Do we live? (¿Vivimos nosotros/as?)
Do you live? (¿Vives tú/Vive usted?) — Do you live? (¿Viven ustedes?)

Does { he live? (¿Vive él?) / she live? (¿Vive ella?) / it live? (¿Vive ello?) } Do they live? (¿Viven ellos/as?)

El verbo no lleva "s"

Oraciones negativas
Se usa el auxiliar en su forma negativa **do not / don´t** o **does not / doesn´t**.
Se traduce como **"no"**.
En la tercera persona **He-She-It**, al usar el auxiliar, **el verbo no lleva "s".**

I **do not/don´t** live (Yo no vivo) We **do not /don´t** live (Nosotros/as no vivimos)
You **do not/don´t** live (Tú no vives) (Usted no vive) You **do not/don´t** live (Ustedes no viven)

He / She / It **does not/doesn´t** live (Él no vive) (Ella no vive) (Ello no vive) They **do not/don´t** live (Ellos/as no viven)

El verbo no lleva "s"

Escucha en el CD cómo se pronuncia el auxiliar **do not** o **does not** en su forma contraída, que es la que se usa en las conversaciones:

I **do not**	I **don´t**	We **do not**	We **don't**
You **do not**	You **don´t**	You **do not**	You **don `t**
He **does not**	He **doesn't**		
She **does not**	She **doesn't**	They **do not**	They **don't**
It **does not**	It **doesn't**		

b. Estudiemos las siguientes palabras que **nos sirven para expresar frecuencia.** Escúchalas en el CD.

always (100%)	siempre
usually	usualmente
generally	generalmente
often	a menudo

sometimes (50%)	algunas veces
rarely	raramente
never (0%)	nunca

Estas palabras se llaman **adverbios** y modifican a los verbos. Se colocan por lo general delante del verbo.

I **always** cook tamales on weekends. Yo **siempre** cocino tamales los fines de semana.
He **often** watches t.v. Él **a menudo** mira televisión.
We **never** go to the movies. Nosotros **nunca** vamos al cine.

Sometimes se usa también al principio de la oración:

Sometimes I cook / I **sometimes** cook — **A veces** cocino

Si se usa el verbo **to be**, el adverbio se coloca **detrás del verbo:**

She´s **never** happy. Ella **nunca** está contenta.
He´s **usually** tired. Él está **usualmente** cansado.
We´re **never** tired. Nosotros **nunca** estamos cansados.

4 Ejercicios para practicar lo que aprendimos

Las respuestas escritas (Key) están al pie de cada página

a. Escucha el CD y marca con un círculo la expresión que escuches: 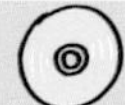

1. a. Welcome to San Francisco — b. Welcome home
2. a. Can I take your coats? — b. Let me take your coats
3. a. Help yourself to some drinks — b. Help yourself to some salad
4. a. What a nice view! — b. What a nice apartment!

b. Transforma estas oraciones afirmativas en preguntas:

Ej: You speak English ***Do you speak*** *English?*

1. She cooks very well .... very well?
2. They study in the morning .... in the morning?
3. It sounds good ....good?
4. You feel homesick ....homesick?
5. He likes green salad ....green salad?

c. Ahora escribe las contracciones negativas que se usan en cada caso:

Ej: I **do not** understand *I **don't** understand*

1. You **do not** .... go out
2. He **does not** .... cook
3. She **does not** .... dance
4. It **does not** .... sound
5. We **do not** .... play tennis

4 a: 1 a 2 b 3 b 4 a
4 b: 1 Does she cook 2 Do they study 3 Does it sound 4 Do you feel 5 Does he like
4 c: 1You don't 2 He doesn't 3 She doesn't 4 It doesn't 5 We don't

d. Transforma estas preguntas en oraciones afirmativas:

Ej: **Do you** live in Mexico? ***You live*** in Mexico

1. Does she watch movies? ....movies
2. Do they work a lot? .... a lot
3. Do you relax on Sundays? ....on Sundays
4. Does she cook on weekends? ....on weekends

e. Escucha el CD y completa los espacios con las palabras que están en el recuadro.

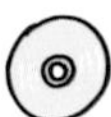

has   live   watch   doesn't like   doesn't work

1. Marianne .... salad
2. My parents .... in L.A.
3. We ....a lot of movies
4. She ....on weekends
5. She .... a beautiful apartment

f. Fíjate en las actividades que Annie realiza durante el fin de semana. Escucha el CD y marca con una cruz el adverbio de frecuencia que escuches. El número (1) ya está resuelto.

	always	usually	often	sometimes	rarely	never	
1. She			X				goes jogging
2. She							cooks
3. She							does gym
4. She							meets with friends
5. She							eats out
6. She							relaxes

4 d: 1 She watches 2 They work 3 You relax 4 She cooks
4 e: 1 doesn't like 2 live 3 watch 4 doesn't work 5 has
4 f: 2 never 3 sometimes 4 usually 5 always 6 rarely

Unit 6 Planning the weekend / Planeando el fin de semana

Lesson 6

1 Escuchemos el CD

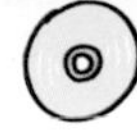

Cada vez que aparezca este ícono puedes escuchar el CD

Es viernes por la tarde. Annie, Bill y Luis se encuentran para planear el primer fin de semana de Luis en San Francisco.

Annie: Let's plan our weekend. Luis, **what do** you **want to do?**
Luis: I **don't know**. **Do** you **do** anything special on weekends?
A: It depends. I generally **go jogging** or **cycling** in the morning. And in the evening, I **go** to the movies or to a disco with my friends.
L: **How often** do you go to the movies?
A: **Four or five times** a month.
L: And you Bill, what **do** you **do** on weekends?
B: I **surf** the Internet or rent movies.
A: And he **loves** watching football on t.v!

B: **Do you like cycling,** Luis?
L: Yes, **I** really enjoy **cycling** and **swimming.**
A: Oh, I **go swimming twice a week.** And I **love cycling**, too.

B: So, let´s get our bycicles and go to Pier 39. There are lots of restaurants and street shows. We can see the bay and the Golden Gate.

L: Great!

Annie: Vamos a planear nuestro fin de semana. Luis, **¿qué quieres hacer?**
Luis: No lo sé. ¿Ustedes **hacen** algo especial los fines de semana?
A: Depende. Yo generalmente **salgo a correr** o a **andar en bicicleta** a la mañana. Y a la noche, **voy** al cine o a una discoteca con mis amigas.
L: **¿Con qué frecuencia** vas al cine?
A: **Cuatro o cinco veces** al mes.
L: Y tú Bill **¿qué haces** los fines de semana?
B: **Navego** por Internet o **alquilo** películas.
A: ¡ Y le **encanta mirar** fútbol americano por televisión!
B: **¿Te gusta andar** en bicicleta, Luis?
L: Sí, **disfruto** mucho **andar en bicicleta** y **nadar**.
A: Yo **voy a nadar dos veces por semana.** Y también me **encanta andar en bicicleta.**
B: Entonces, tomemos nuestras bicicletas y vayamos al Muelle 39. Hay montones de restaurantes y de espectáculos callejeros. Podemos ver la bahía y el Golden Gate.
L: ¡Fantástico!

2 Usemos el idioma

a. Ahora estudiemos estas frases para referirnos a las **diferentes partes del día:**

in the morning	**a** la mañana	**at** night	a la noche
afternoon	la tarde		
evening	la noche		

Para **preguntar con qué frecuencia alguien realiza una actividad**, debes decir:

How often do you play tennis?	**¿Con qué frecuencia** juegas al tenis?
does she go swimming?	va ella a nadar?
do they go to the movies?	van ellos al cine?

Para indicar una frecuencia de **una** o **dos** veces, se usa **once** o **twice:**

Once a month.	**Una vez** por mes.
Twice a year.	**Dos vece**s al año.

She goes jogging **once** a week.	Ella va a correr **una vez** por semana.
They play tennis **twice** a month.	Ellos/as juegan al tenis **dos veces** por mes.

Para indicar una **frecuencia mayor** se usa el **número + times** (veces):

Three times a week.	**Tres veces** por semana.
Four times a day.	**Cuatro veces** por día.

He rides his bicycle **three times** a week.	Él anda en bicicleta **tres veces** por semana.
I go swimming **four times** a month.	Voy a nadar **cuatro veces** por mes.

b. Observa los verbos que debes usar para nombrar estas actividades:

go + actividad física:	go jogging swimming walking	ir a correr nadar caminar
play+ deporte con pelota:	play tennis football baseball basketball	jugar al tenis fútbol americano béisbol basquetbol
do + actividad física:	do gym yoga exercise	hacer gimnasia yoga ejercicio

3 Estudiemos la gramática

a. Para dar **respuestas cortas a preguntas por sí o por no** que comienzan con **Do /Does**, lee los siguientes diálogos:

Do you speak English?	¿Hablas inglés?
Yes, I **do**. / No, I **don't.**	Sí, (lo hago)/ No, (no lo hago)
Does she cook?	¿Cocina ella?
Yes, she **does**. / No, she **doesn't**.	Sí, (lo hace)/ No, (no lo hace)

b. Se les agrega **"s"** a la mayoría de los verbos en las oraciones afirmativas en el tiempo Presente Simple cuando se los usa con **He, She, It:**

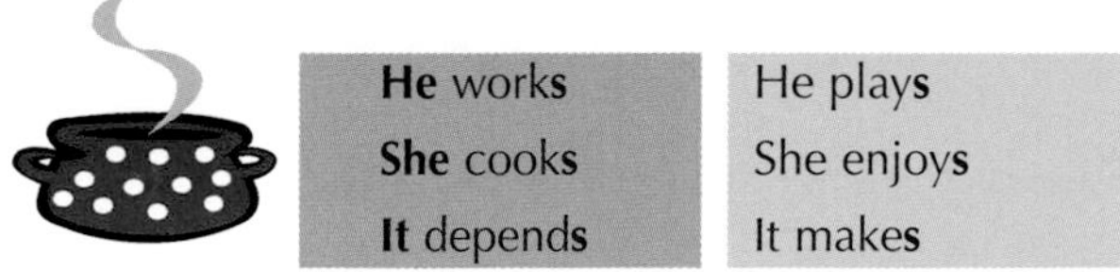

He works	He play**s**
She cooks	She enjoy**s**
It depends	It make**s**

Se agrega **"es"**cuando el verbo termina en **–sh, -ch, -s, -x, -o, -z**.

I wa**sh**	She wash**es**
You tea**ch**	He teach**es**
We ki**ss**	She kiss**es**
They rela**x**	It relax**es**
We **do**	He do**es** gym
They **go**	He go**es** out

"y" cambia por **"ies"** cuando está después de una consonante:

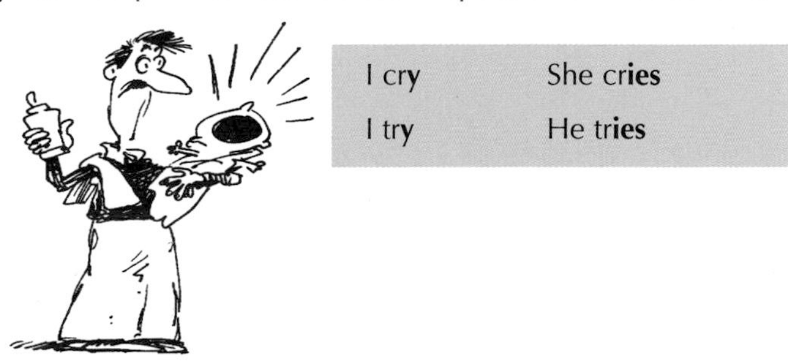

I cr**y**	She cr**ies**
I tr**y**	He tr**ies**

c. Para decir qué **cosas te gustan o te disgustan** puedes usar estos verbos:

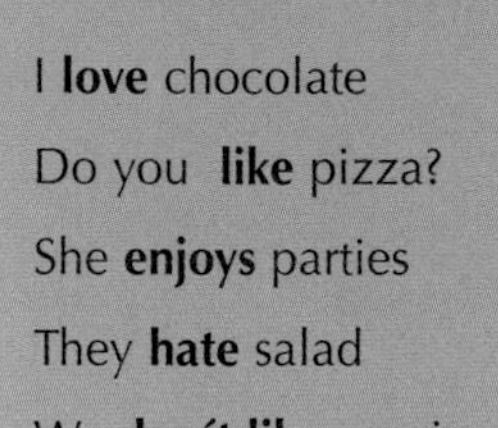

love like enjoy hate + sustantivo (cosa)	
I **love** chocolate	Me **encanta** el chocolate
Do you **like** pizza?	¿Te **gusta** la pizza?
She **enjoys** parties	Ella **disfruta** de las fiestas
They **hate** salad	Ellos **odian** la ensalada
We **don´t like** movies	**No** nos **gustan** las películas
He **doesn´t like** coffee	A él **no** le **gusta** el café

d. Para hablar de **actividades** que **te agradan** o **desagradan** debes usar:

love like enjoy hate + verbo + ing (acción)	
I **love** swimm**ing**	Me **encanta** nadar
Do you **like** jogg**ing?**	¿Te **gusta** salir a correr?
She **enjoys** rid**ing** her bike	Ella **disfruta** andar en bicicleta
They **hate** do**ing** gym	Ellos **odian** hacer gimnasia
We don't **like** cook**ing**	**No** nos **gusta** cocinar
He doesn't **like** play**ing** tennis	A él **no** le **gusta** jugar al tennis

e. "Also" y **"too"** significan **también** :

also se usa delante del verbo:

I like movies and I **also** like reading Me gustan las películas y **también** me gusta leer

She likes tea and she **also** likes coffee A ella le gusta el té y **también** el café

too se usa al final de la oración:

She enjoys dancing and singing, **too** Ella disfruta del baile y del canto **también**

She hates pizza and pasta, **too** Ella odia la pizza y la pasta **también**

4 Ejercicios para practicar lo que aprendimos

Las respuestas escritas (Key) están al pie de cada página

a. Contesta con respuestas cortas tanto afirmativas como negativas:

Ej: Do you work on weekends? ***Yes I do/ No, I don´t***

1. Do you like tea?

   ....

2. Do you speak Japanese?

   ....

3. Do they love cycling?

   ....

4. Does she go swimming?

   ....

5. Does he eat salad?

   ....

6. Do you and your friend study English?

   ....

b. Coloca las palabras junto a cada oración en la forma y el orden correctos:

Ej: go cycling, always *Jim* ***always goes cycling*** *in the morning.*

1. *watch t.v, usually* We................................at night
2 *often ,study* He.......................in the morning
3. *cook, always* She ....on weekends
4. *go jogging, never* We ....in the evening
5. *invite, rarely* They..............................friends

4a: 1.Yes, I do/ No, I don't 2.Yes, I do/ No, I don't 3.Yes, they do/ No, they don't 4.Yes, she does/ No, she doesn't 5. Yes, he does/ No, he doesn't 6. Yes, we do / No, we don't

4b: 1.usually watch 2.often studies 3.always cooks 4.never go jogging 5.rarely invite

c. Usa el verbo entre paréntesis de la manera correcta:
Ej: She ***has*** a beautiful apartment (have)

1. Peter and Eddie ....swimming *(love)*
2. Alice ....a new car *(have)*
3. Bill ....jogging every day *(go)*
4. My friends often .... movies on weekends *(watch)*
5. Sometimes, Nicole .... to relax *(like)*
6. My girlfriend and I .... exercise at home *(do)*

d. Agrega las actividades con el verbo adecuado: **go / play / do**
El número 1 te sirve de ejemplo:

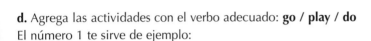

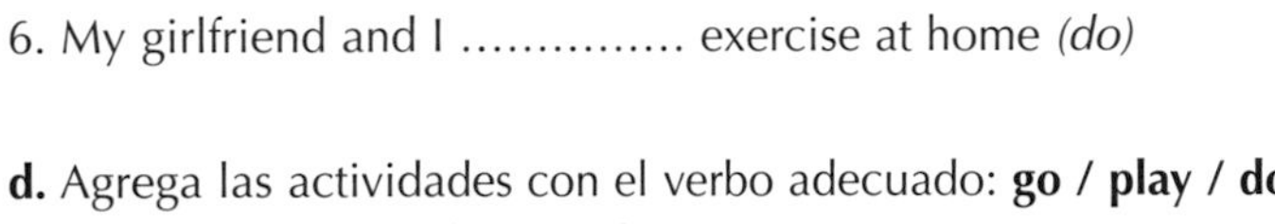

GO	PLAY	DO
1. swimming	4................	7................
2................	5................	8................
3................	6................	9................

e. Mira las imágenes y completa las oraciones como en el ejemplo:

1. I like playing tennis..........
2. She loves ....
3. We hate ....

4. I enjoy ....
5. They don't like ....
6. He doesn't like ....

4c: 1 love 2 has 3 goes 4 watch 5 likes 6 do
4d: 2 jogging 3 cycling 4 football 5 tennis 6 baseball 7 gym 8 yoga 9 exercise
4e: 2 cooking 3 swimming 4 watching t.v 5 riding bicycles 6 playing basketball

Unit 7 Looking for a job / Buscando trabajo

Lesson 7

1 Escuchemos el CD

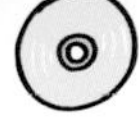

Cada vez que aparezca este ícono puedes escuchar el CD

Luis y Bill están desayunando y hablando sobre trabajos.

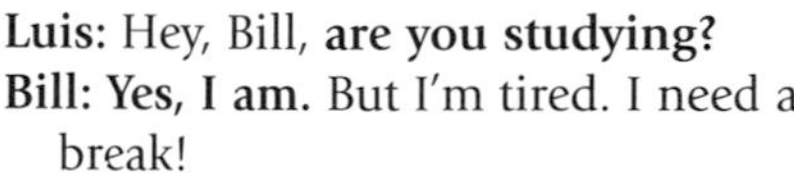

Luis: Hey, Bill, **are you studying?**
Bill: **Yes, I am.** But I'm tired. I need a break!
L: Here, have a cup of coffee.
B: Thanks a lot!
L: Tell me about your new job. **What exactly do you do?**
B: **I work as** a graphic designer **for** Desart, an advertising company. I design ads for magazines and newspapers.
L: **Sounds like a lot of fun!**
B: Yeah, I really like my job. It's very interesting.
L: **Do you work in an office?**
B: **Yes, I do.** I work in big office downtown.
L: Is your job very tiring?
B: Yes, it is. But it's O.K.
L: I also want to study and have a job.

B: **What kind of job are you looking for?**
L: I want to study tourism, so I'm looking for a job as a tourist guide, or at a hotel...**Where can I look for a job?**

B: Let's call Annie, she works in a travel agency. Or I can look for jobs in the job board at the university ... or on the Internet... or ... right here, in the newspaper!

Luis: Bill, **¿estás estudiando?**
Bill: Sí. Pero estoy cansado. ¡Necesito un descanso!
L: Aquí tienes, bebe esta taza de café.
B: ¡Muchas gracias!
L: Cuéntame sobre tu nuevo trabajo. **¿Qué haces exactamente?**
B: **Trabajo como** diseñador gráfico **para** Desart, una agencia de publicidad. Diseño avisos publicitarios para revistas y diarios.
L: **¡Suena muy divertido!**
B: Sí, realmente me gusta mi trabajo.Es muy interesante.
L: **¿Trabajas en una oficina?**
B: Sí. Trabajo en una oficina grande en el centro de la ciudad.
L: ¿Es tu trabajo muy cansador?
B: Sí, lo es. Pero está bien.
L: Yo también quiero estudiar y tener un trabajo.
B: **¿Qué tipo de trabajo estás buscando?**
L: Yo quiero estudiar turismo, por eso estoy buscando un trabajo como guía de turismo o en un hotel... **¿Dónde puedo buscar trabajo?**
B: Llamemos a Annie, ella trabaja en una agencia de turismo. O puedo buscar trabajos en la cartelera de avisos de trabajo en la universidad... o en Internet... ¡o ... aquí mismo, en el diario!

2 Usemos el idioma

a. Para **preguntarle a alguien cuál es su trabajo,** dirás:

What do you do? ¿Qué haces? ¿A qué te dedicas?
What´s your job? ¿Cuál es tu trabajo?

b. Para contestar **de qué trabajas**, puedes decir:

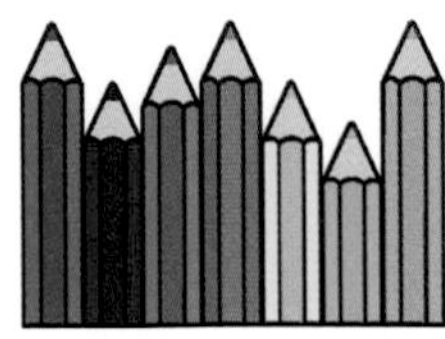

I am a	graphic designer	**Soy**	diseñador gráfico
	front desk clerk		recepcionista
	tourist guide		guía de turismo

I work as	a graphic designer	**Trabajo como**	diseñador gráfico
	a front desk clerk		recepcionista
	a tourist guide		guía de turismo

y si quieres contar **para quién trabajas**, puedes decir:

I work for	Desart	**Trabajo en**	Desart
	the High Hills Hotel		el High Hills Hotel
	Travel and Fun		Travel and Fun

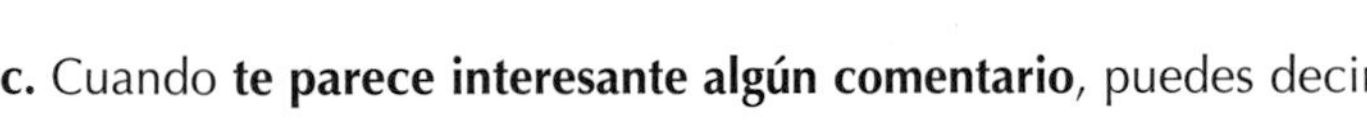

c. Cuando **te parece interesante algún comentario**, puedes decir

Sounds good! — **¡Suena bien!**
interesting! — interesante!
like a lot of fun! — muy divertido!

I design ads for newspapers. — Diseño avisos publicitarios para diarios.
¡Sounds like a lot of fun! — **¡Suena muy divertido!**

3 Estudiemos la gramática

a. Cómo dar **respuestas cortas** a **preguntas por sí o por no** con el verbo **to be**:

Oraciones afirmativas:

Debes usar el **pronombre** y el verbo **to be** sin contracciones

- **Presente Continuo:** — **Are you** studying?
  Yes, **I am**.
- **Presente Simple:** — **Is your job** very tiring?
  Yes, **it is.**

Oraciones negativas:

Debes usar el **pronombre** y el verbo **to be + not.** Puedes usar contracciones

- **Presente Continuo:** — **Are you** studying?
  No, **I'm not.**
- **Presente Simple:** — **Is your job** very tiring?
  No, **it is not** (sin contracción)
  it´s not / **it isn´t** (con contracción)

b. Cómo hacer **preguntas por sí o por no** en Presente Simple **con todos los demás verbos:**

En este caso se usan los **auxiliares DO** y **DOES** de la siguiente manera:

DO con los pronombres **I, You, We, They**	**DOES** con los pronombres **He, She, It**

Fíjate el orden de las palabras en la pregunta:

AUX.	PRON.	VERBO
DO	I You We They	work?

AUX.	PRON.	VERBO
DOES	he she it	work?

Do you **work** in an office? — ¿**Trabajas** tú en una oficina?

Do they **study** English? — ¿**Estudian** ellos inglés?

Does she **live** in San Francisco? — ¿**Vive** ella en San Francisco?

c. Y para dar **respuestas afirmativas cortas** usas **Yes**, el **pronombre** y **do/does**, según aparezcan en la pregunta:

Do you **work** in an office?	¿**Trabajas** tú en una oficina?
Yes, I **do**.	Sí.
Do they **study** English?	¿**Estudian** ellos inglés?
Yes, they **do**.	Sí.
Does she **live** in San Francisco?	¿**Vive** ella en San Francisco?
Yes, she **does.**	Sí.

d. Las **respuestas negativas cortas** se forman de la siguiente manera:

do not o **don´t** **does not** o **doesn´t**

Do you **work** in an office?	¿**Trabajas** tú en una oficina?
No, I **don´t**.	No.
Do they **study** English?	¿**Estudian** ellos inglés?
No, they **don´t.**	No.
Does she **live** in San Francisco?	¿**Vive** ella en San Francisco?
No, she **doesn´t**.	No.

e. Preguntas con **palabras interrogativas:**

What...?	¿Qué/Cuál...?	**Where...?**	¿Dónde...?
Which...?	¿Cuál...?	**When...?**	¿Cuándo...?
Who...?	¿Quién...?	**How...?**	¿Cómo...?

Las **respuestas** a estas preguntas **dan información:**

What is your name?	¿**Cuál** es tu nombre?
My name is Luis.	Mi nombre es Luis.
Where do you live?	¿**Dónde** vives?
I live in San Francisco.	Vivo en San Francisco.

preguntas con el verbo **to be**

	Palabra Interrogativa	**to be**	**sustantivo/ pronombre**	
Presente Simple	Where	is	your office?	¿Dónde está tu oficina?
	How	are	you?	¿Cómo estás?

Presente Continuo

Palabra Interrogativa	to be	pronombre	verbo + ing	
Where	are	you	staying?	¿Dónde te estás hospedando?
What	are	you	doing?	¿Qué estás haciendo?

preguntas con los **demás verbos:**

Palabra Interrogativa	do/does	pronombre/ sustantivo	verbo	
Where	do	you	work?	¿Dónde trabajas?
What	does	she	do?	¿Qué hace ella?

4 Ejercicios para practicar lo que aprendimos

Las respuestas escritas (Key) están al pie de cada página

a. Contesta estas preguntas con una respuesta corta usando el verbo **to be** en afirmativo (A) o negativo (N). Usa contracciones donde sea posible.Escucha las respuestas en el CD.

Ej: Are you tired? (A): Yes, **I am**

1. Is Luis Mexican? (A) ....
2. Are you American?(N) ....
3. Are your parents from Italy?(N) ....
4. Is Annie studying? (A) ....
5. Are you looking for a job? (A) ....
6. Is Bill a doctor? (N) ....

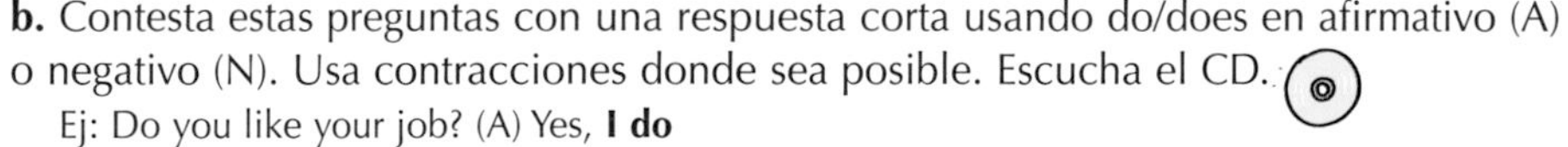

b. Contesta estas preguntas con una respuesta corta usando do/does en afirmativo (A) o negativo (N). Usa contracciones donde sea posible. Escucha el CD.

Ej: Do you like your job? (A) Yes, **I do**

1. Do you work in an office? (N) ....
2. Does your mother work? (A) ....
3. Does Bill work in an advertising agency? (A) ....
4. Does Luis have a job? (N) ....
5. Do you speak Spanish? (A) ....
6. Does your sister live in San Francisco? (N) ....

4a: 1-Yes, he is. 2-No I'm not 3-No, they aren't 4-Yes, she is 5-Yes, I am 6-No, he isn't

4b: 1-No, I don't 2-Yes, she does 3-Yes, he does 4-No, he doesn't 5-Yes, I do 6-No, she doesn't

c. Completa con la palabra interrogativa que corresponda. Presta atención a la respuesta. Escucha el CD.

1. .... do you live? I live in Los Angeles.
2. .... does she do? She works as a cook.
3. .... old are you? I´m 23 years old.
4. .... one do you prefer? The red one.
5. .... are you? I´m fine, and you?
6. .... is that girl? That´s my sister.

d. Coloca las palabras en el orden correcto.
Ej: do/what/do/you? What do you do?

1) (like/ job/ you/ do/ your?)..

2) (name /is/ what/ your?)..

3) (office/ do/ in/ you/ do/ an/ work?)......................................

4) (tired/ are/ you?)..

5) (you/ studying/ are?)..

6) (does/ Annie/ where/ work?)..

e. Lee la conversación y completa con las frases del recuadro. Escucha el diálogo en el CD:

I´m speak Spanish do you do do you What´s
No, I don´t old are you I do

A: (1)..................your name?

B: Jennifer Hudson.

A: How (2)..................?

B: (3)..................25 years old.

A: What (4)..................?

B: I´m a teacher.

A: (5).........live here in San Francisco?

B: (6)..................I live in Los Angeles.

A: Do you (7)..................?

B: Yes, (8)..................

4c: 1-Where 2-What 3-How 4-Which 5-How 6-Who
4d: 1)Do you like your job? 2)What is your name? 3)Do you work in an office? 4) Are you tired? 5) Are you studying) 6) Where does Annie work?
4e: 1-What´s 2-old are you 3-I´m 4-do you do 5-Do you 6-No, I don´t 7-speak Spanish 8-I do

Unit 8 Job classifieds / Clasificados de trabajo

Lesson 8

1 Escuchemos el CD

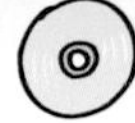

Cada vez que aparezca este ícono puedes escuchar el CD

Bill encuentra un aviso de trabajo en el diario y se lo lee a Luis.

Bill: Hey, Luis, listen to this: *"High Hills Hotel is looking for a front desk clerk. Duties: check guests in and out, answer the telephone and make reservations. Skills: good computer skills, perfect Spanish, good English"*. Sounds great, man!

Luis: Yes I think so, but **what does** *duties* **mean?** I don´t understand.

B: They are the things you **have to** do in your job.

L: Oh, I see. I **have to** check guests in and out, I **have to** answer the telephone ...And ... one more question ... **Could you explain "skills"?**

B: Yes, sure. **It means** abilities, things you **can** do.

L: Well, I **can** use a computer, and I **can** speak Spanish. And I have some experience as a front desk clerk. I am **responsible** and **hardworking**. I think I **am good at** working with people ...but **I'm not very good at** speaking English! O.K, **how do I apply for this job?**

B: You have to send your résumé to ... resume@hhhotel.com.

L: My résumé? I don't have a résumé . I **have to** write it!

B: Let's write it right now!

Bill: Luis, escucha esto:*"High Hills Hotel está buscando un recepcionista. Tareas: registrar la entrada y salida de los huéspedes, contestar el teléfono, hacer reservas. Habilidades: buenos conocimientos de computación, perfecto español, buen inglés".* ¡Suena fantástico, amigo!

Luis: Sí, eso creo, pero **¿qué significa** *duties?* ... No entiendo...

B: Son las tareas que **tienes que** hacer en tu trabajo.

L: Ah, ya veo. **Tengo que** registrar la entrada y salida de los huéspedes, **tengo que** contestar el teléfono ...Y ... una pregunta más ... **¿Podrías explicarme "skills"?**

B: Sí, claro. Significa habilidades, cosas que **puedes** hacer.

L: Bueno, **puedo** usar una computadora y **puedo** hablar español. Y tengo algo de experiencia como recepcionista. Soy **responsable** y **trabajador.** Creo que **soy bueno** trabajando con gente, pero... **¡no soy muy bueno** hablando inglés! O.K. **¿Cómo hago para solicitar este trabajo?**

B: Tienes que enviar tu curriculum vitae a... resume@hhhotel.com.

L: ¿Mi curriculum? Yo no tengo un curriculum **¡Tengo que** escribirlo!

B: ¡Escribámoslo ya mismo!

2 Usemos el idioma

a. Para **conocer el significado de una palabra en otro idioma** puedes preguntar:

What does "skills" **mean**?	**¿Qué significa** "skills"?
Could you explain "skills"?	**¿Podrías explicar** "skills"?
What´s the meaning of "skills"?	**¿Cuál es el significado de** "skills"?

Y la respuesta puede ser:

It means abilities, things you can do. **Significa** habilidades, cosas que puedes hacer.

b. Si no has entendido algo, puedes decir:

Sorry, **I don´t understand.**	Disculpe, **no entiendo.**
Could you repeat, please?	**Podría repetir,** por favor?
Could you speak more slowly, please?	**Podría hablar más despacio,** por favor?

c. Para **hablar de tus habilidades**, puedes decir:

I´**m good at** working with people.	**Soy bueno** trabajando con gente.
I´**m very good at** speaking Spanish.	**Soy muy bueno** hablando español.
I´m not very good at speaking English.	**No soy muy bueno** hablando inglés.

d. Leamos esta lista de **diferentes profesiones y oficios:**

taxi/cab driver: conductor/a de taxi
security guard: guardia de seguridad
waiter: mesero
waitress: mesera
nurse: enfermero/a
teacher: maestro/maestra
basketball player: jugador/a de básquet
accountant: contador/a

cook: cocinero/a
gardener: jardinero/a
doctor: doctor/a
architect: arquitecto/a
chef: chef
doorperson: portero/a
technician: técnico/a
lawyer: abogado/a

e. Cuando hablas de un trabajo en singular debes usar **"a"** si la palabra que sigue empieza con consonante o **"an"** si empieza con vocal.

He´s **a** chef. Él es chef.
She´s **an** architect. Ella es arquitecta.

I am **an** accountant. Soy contador/a.
She´s **a** nurse. Ella es enfermera.

a. "Can" se usa para describir **habilidad en el presente**, con todos los pronombres:

Oraciones afirmativas

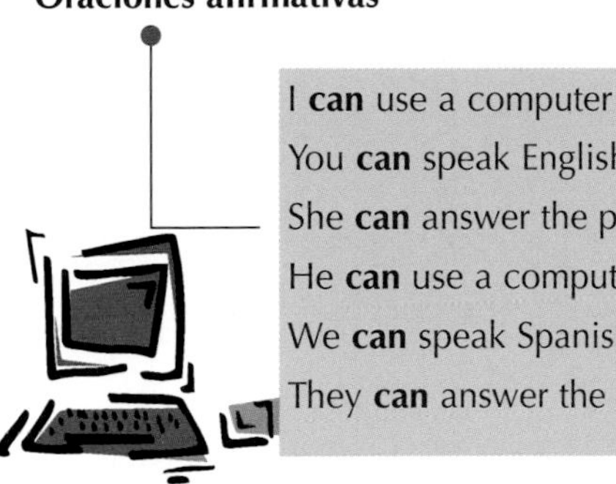

I **can** use a computer	Yo **puedo** usar una computadora
You **can** speak English	Tú **puedes** hablar inglés
She **can** answer the phone	Ella **puede** contestar el telefono
He **can** use a computer	Él **puede** usar una computadora
We **can** speak Spanish	Nosotros **podemos** hablar español
They **can** answer the phone	Ellos **pueden** contestar el teléfono

Oraciones negativas: Se agrega **not** después de **can**, junto o separado: **Can not** o **cannot**. Las dos formas pueden contraerse y formar **can´t:**

I **cannot** use a computer	I **can´t** use a computer	**No puedo** usar una computadora
You **can not** speak Spanish	You **can´t** speak Spanish	**Tu no puedes** hablar español
She c**annot** speak English	She **can´t** speak English	Ella **no puede** hablar inglés

Preguntas y respuestas: para hacer preguntas se coloca **can** al principio de la oración:

She **can** speak Spanish.

Can she speak Spanish?

para responder con respuestas cortas en afirmativo usas **can** y en negativo, **can´t**.

Can you use a computer?	¿**Puede** usted usar una computadora?
Yes, I **can.**	Si, **puedo.**
Can you speak Spanish?	¿**Puede** hablar español?
No, I **can´t.**	No, no **puedo.**
Can you speak English?	¿**Puedes** hablar inglés?
Yes, **I can.**	Sí, **puedo**.

b. Para expresar **algo que tienes que hacer**, se usa **have to: tener que,** de la siguiente manera:

I **have to** work	Yo **tengo que** trabajar	We **have to** work	Nosotros/as **tenemos que** trabajar
You **have to** work	Tú **tienes que/** Usted **tiene que** trabajar	You **have to** work	Ustedes **tienen que** trabajar
She **has to** work He **has to** work	Ella **tiene que** trabajar Él **tiene que** trabajar	They **have to** work	Ellos/as **tienen que** trabajar

Para hacer preguntas usas **do/does + have to**:

You **have to** work	**Do** you **have to** work?	¿**Tienes** tú **que** trabajar?
She **has to** answer the phone	**Does** she **have to** answer the phone?	¿**Tiene** ella **que** contestar el teléfono?
He **has to write** his résumé	**Does** he **have to** write his résumé?	¿**Tiene** él **que** escribir su curriculum vitae?

para contestar con **respuestas cortas**, debes usar **do/does don´t/doesn´t**

Do you **have to** work? Yes, I **do**/ No, I **don´t**

Does she **have to** answer the phone? Yes, she **does**/No, she **doesn´t**

c. Estudiemos algunos **adjetivos para describir las características de los trabajos:**

interesting: interesante easy: fácil safe: seguro tiring: cansador

boring: aburrido difficult: difícil dangerous: peligroso relaxing: relajado

podemos usarlos de la siguiente manera:

Delante del sustantivo;

I have **an interesting** job
Tengo un trabajo interesante
I have **a dangerous** job
Tengo un trabajo peligroso

Después del verbo **to be.**

My job is **interesting**
Mi trabajo es interesante
My job is **dangerous**
Mi trabajo es peligroso

d. Otros adjetivos para **describir a las personas en relación con su trabajo:**

hardworking: trabajador reliable: confiable friendly: cordial creative: creativo
loyal: leal responsible: responsable patient: paciente efficient: eficiente

A reliable worker Un trabajador confiable He is very reliable Él es muy confiable

An efficient employee Un empleado eficiente She is efficient Ella es eficiente

4 Ejercicios para practicar lo que aprendimos

Las respuestas escritas (Key) están al pie de cada página

a. Transforma las oraciones afirmativas en negativas, y viceversa.

1. I can use a computer. ....
2. She can´t speak English. ....
3. They can´t answer the phone. ....
4. We can speak Spanish. ....
5. He can´t work in an office. ....

b. Forma preguntas usando Can y ordenando las palabras en paréntesis.
Ejemplo: (English/you/speak) Can you speak English?

1.(computer/use/a/she) ....

2.(cook/he) ....

3.(Japanese and German/speak/they) ....

4.(résumé/a/write/you) ....

5.(teach/he/you/Spanish) ....

c. Contesta las preguntas en "b" con una respuesta corta usando CAN en afirmativo (A) o negativo(N). Usa contracciones donde sea posible.
Ej: Can you speak English? (A) Yes, I can

1. (A) ....
2. (N) ....
3. (N) ....
4. (A) ....
5. (A) ....

4a:1-I can´t 2-She can 3-They can 4-We can´t 5-He can
4b: 1-Can she use a computer 2-Can he cook? 3-Can they speak Japanese and German 4-Can you write a résumé?
5-Can he teach you Spanish?
4c: Yes, she can 2-No, he can´t 3-No, they can´t 4-Yes, I can 5-Yes, he can

d. Encuentra 6 diferentes trabajos entre las letras. Márcalos como en el ejemplo: Puedes buscar en forma horizontal o vertical.

L	O	M	C	A	T	G	E	R	T	J	L
A	N	W	A	I	T	R	E	S	S	D	E
W	U	C	H	E	F	I	O	P	P	T	F
Y	R	A	R	C	H	I	T	E	C	T	V
E	S	T	E	C	H	N	I	C	I	A	N
R	E	C	A	B	D	R	I	V	E	R	U

e. Escucha el siguiente diálogo y completa con **have to** y **has to**.

1. A: Hi Jack, is your new job interesting?

   J: Yes, it is. I like it very much.

   A: What do you (a)......... .... do, exactly?

   J: I (b)......... .... check guests in and out.

2. T: What does your sister do?

   G: She´s a front desk clerk

   T: What does she (a)......... .... do?

   G: She (b)...... .... answer the phone and help guests.

   T: Does she (c)......... .... speak English?

   G: Yes, and she (d)......... .... speak Spanish too.

f. Completa las siguientes oraciones con adjetivos. Tienes la inicial de cada palabra.

1. This job is not interesting, it is b.........................
2. I am a graphic designer. I am very c.........................
3. He´s a receptionist. He´s very nice and f.........................
4. I am a teacher. My job is very t.........................
5. I am a security guard. I have a d.........................job.

4d:-waitress-nurse-chef-architect-technician-cab driver
4e: 1(a)-have to-(b)have to 2(a)-have to-(b)has to-(c)have to-(d)has to-
4f: 1-boring 2-creative 3-friendly 4-tiring 5-dangerous

Unit 9 Answering the phone / Atender un llamado telefónico

Lesson 9

1 Escuchemos el CD

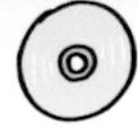

Cada vez que aparezca este ícono puedes escuchar el CD

Bill recibe un llamado para Luis del Hotel High Hills.

(The phone rings)
Bill: Hello?
Secretary: Good morning. **I´d like** to speak to Luis Flores, please.
B: Who´s calling?
S: I´m calling from the High Hills Hotel about a job as front desk clerk. He sent us his résumé.
B: Oh, yes, ...Luis is my friend ... I´m sorry, but he´s not here right now, **can** I **take** a message?
S: Yes, please. **Could** you tell him to call Brenda Turlington? **She´d like** to have an interview with him **on Thursday** or **Friday**.
B: Hold on, please. I´ll get some paper and a pen.
S: Sure.
B: Can you **spell** her last name please?
S: Yes, that´s T-U-R-L-I-N-G-T-O-N.
B: Is that D-O-N or T-O-N ?
S: That´s T **as in** Tango.
B: Right. Brenda Turlington. **Could** you give me her phone number, please?
S: Certainly. It´s 415 604 9942. Extension 417.
B: 415 604 9942... Extension 417. I´ll give him the message as soon as he comes back.
S: Thank you. Bye.

(Suena el teléfono)
Bill: ¿Hola?
Secretaria: Buen día. **Quisiera** hablar con Luis Flores, por favor.
B: ¿Quién habla?
S: Llamo del Hotel High Hills por un trabajo como recepcionista. Él nos envió su curriculum vitae.
B: Ah, sí,...Luis es mi amigo ... Lo siento, pero él no se encuentra aquí en este momento, **¿puedo tomar** un mensaje?
S: Sí, por favor. ¿**Podría** decirle que llame a Brenda Turlington? **Ella quisiera** tener una entrevista con él **el jueves** o **el viernes.**
B: Espere, por favor. Traeré papel y un bolígrafo.
S: Seguro.
B: ¿Puede deletrar su apellido, por favor?
S: Sí, es T-U-R-L-I-N-G-T-O-N.
B: ¿Es D-O-N o T-O-N ?
S: Es T **como en** Tango.
B: Bien. Brenda Turlington. ¿**Podría** darme su número de teléfono por favor?
S: Seguro. Es 415 604 9942. Interno 417.
B: 415 604 9942... Interno 417. Le daré el mensaje apenas regrese.
S: Gracias. Adiós.

a. The alphabet /El alfabeto
Spelling/ Deletrear 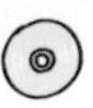

Escucha el CD y presta atención cómo se dicen las letras del alfabeto. Deberás aprenderlas para, entre otras cosas, deletrear tu nombre o entender cuando otra persona deletrea el suyo.

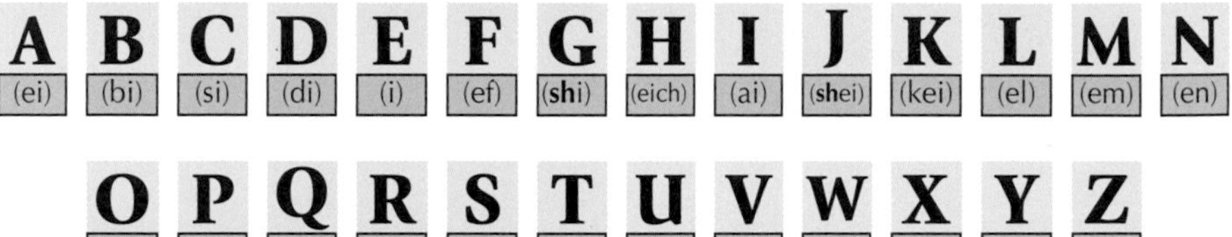

b. Phone language: Lenguaje telefónico

Para **pedir hablar con alguien**, debes decir:

I´d like to speak to Luis, please.	**Quisiera** hablar con Luis, por favor.
Could I speak to Luis Flores, please?	¿**Podría** hablar con Luis Flores, por favor?
Can I speak to Luis?	¿**Puedo** hablar con Luis?

Para **preguntar quién llama:**

Who´s calling? ¿**Quién** llama?

Si quieres pedirle a la persona con quien hablas **que espere en línea**, dirás:

Hold on, please.	**Espere/No corte**, por favor.
Hold on a moment, please.	**Espere** un momento, por favor.
Could you **hold** a minute?	¿Podría **esperar** un minuto?

c. Phone numbers/Los números telefónicos:
Para buscar un número telefónico puedes usar la Guía Telefónica: **Phone Directory**, o llamar a Información: **Directory Assistance.**

Para **preguntar por un número telefónico** dices: ► What's your phone number?
y te **responderán:** ► It's 405 892 7366

Puedes decir "0" de dos formas	four-**zero**-five-eight-nine-two-three-seven-six-six four-**oh**-five-eight-nine-two-three-seven-six-six
Cuando un número se repite, puedes decir **double+el número**	four-**zero**-five-eight-nine-two-three-seven-**double six**

d. Days of the week/Los días de la semana.
Se escriben siempre con mayúscula. Escucha la pronunciación en el CD. 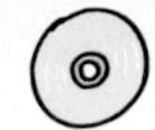

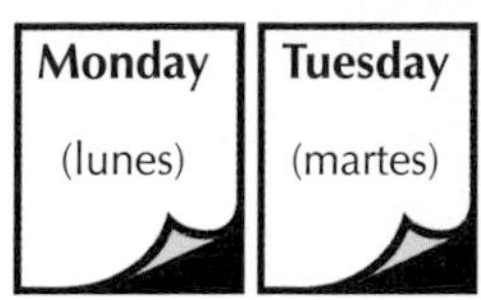

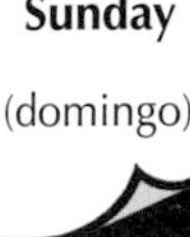

3 Estudiemos la gramática

a. Requests/ Pedidos
Cuando necesitas **pedir algo** debes usar estos auxiliares:

Can (¿Puede/s?) más informal.	**Could** (¿Podría/s?) más formal.

Can you spell your last name? ¿**Puedes** deletrear tu apellido?
Could you give me her phone number, please? ¿**Podría** darme su número de teléfono, por favor?

El orden en que armas la frase es el siguiente :

Auxiliar	Pronombre sujeto	Verbo	(Pronombre objeto)	(Complemento)	(Por favor)
Can	**you**	**take**		**a message,**	**please?**
Could	**you**	**tell**	**me**	**your phone number?**	

Las respuestas **afirmativas** pueden ser:

Más formal — **Certainly.** It´s T-u-r-l-i-n-g-t-o-n. **Seguro**. Es T-u-r-l-i-n-g-t-o-n.
Of course. **Por supuesto.**

Más informal — **Sure.** It´s 434 675 5674 **Seguro**. It´s 434 675 5674

y si es **negativa:**
I´m sorry, I **can´t.** Lo siento, no **puedo**.

Veamos algunos ejemplos:

Could you tell me your e-mail address? ¿**Podrías** decirme tu dirección de correo electrónico?
Could you speak more slowly? ¿**Podría** hablar más despacio, por favor?
Can you repeat that? ¿**Puede** repetir eso?
Can you hold? ¿**Puedes** esperar en línea?
Could you repeat your last name? ¿**Podría** repetir su apellido?

b. Otra manera de **hacer un pedido** o **expresar** en forma **amable algo que uno necesita o quiere hacer** es usando **I would like** (Quisiera/Me gustaría), generalmente en su forma contraída **I´d like.**

I´d like to speak to Brenda, please.	**Quisiera** hablar con Brenda, por favor.
She´d like to have an interview with him.	A ella le **gustaría** tener una entrevista con él.
I´d like to leave a message.	**Quisiera** dejar un mensaje.

c. A veces, cuando deletreas una palabra, hay letras que suenan muy parecidas o que pueden causar confusión. Cuando esto suceda, puedes aclararlo de la siguiente manera:

d **as in** Delta	d **como** en Delta
t **as in** Tango	t **como** en Tango
i **as in** India	i **como** en India

Puedes usar tu propia lista de palabras de referencia, siempre que sean palabras comunes que todos conozcan.

Could you spell your name, please?
Yes, that´s Spears. S **as in** Susan, P **as in** Paul, E **as in** Eleanor, A **as in** Anna, R **as in** Robert.

Cuando **una letra se repite**, puedes decirla por separado o decir **"double + letra":**

Co**nn**ery si-ou-**en-en-**i-ar-wai ó si-ou-**double en**-i-ar-wai

d. Los verbos **"take"** (tomar) y **"leave"** (dejar) en el lenguaje telefónico:

Cuando **te ofreces** a tomar un mensaje, usas **take:**

Can I **take** a message? ¿Puedo **tomar** un mensaje?

Cuando **preguntas si puedes** dejar un mensaje, usas **leave:**

Can I **leave** a message? ¿Puedo **dejar** un mensaje?

4 Ejercicios para practicar lo que aprendimos

Las respuestas escritas (Key) están al pie de cada página

a. Escucha el CD con la pronunciación del alfabeto. Agrupa cada letra debajo del sonido que tengan en común. Algunas letras ya están escritas.

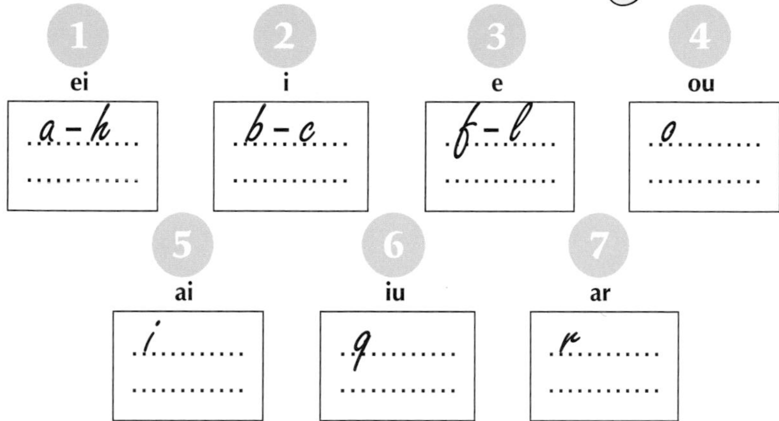

b. Escucha el CD y marca la abreviatura que escuches:

1. USA 2. IBM 3. CEO 4. MBA 5. SOS 6. UK

7. UN 8. VAT 9. LTD 10. UA 11. UCLA 12. CIA

c. Escucha el CD y escribe los apellidos. Algunas letras están escritas.

1) _ _ l _ _
2) M _ _ _ _
3) _ _ r _ _ _ _ _ _ _
4) _ a _ _ _ _ _
5) _ _ _ _ o _
6) _ _ t _
7) S _ _ _ _ _ _

d. Transforma las frases en pedidos: Usa **Can /Could + please.** Escribe una respuesta diferente cada vez. Ej. I/speak to Brenda. ***Can I speak to Brenda, please? Certainly.***

1. I / take a message ....? ....
2. You / spell your name ....? ....
3. You/ give me her phone number ....? I´m sorry,..........
4. You / repeat that ....? ....

4a. 1 j-k 2 d-e-g-p-t-v-z 3 m-n-s-x 5 y 6 u w 4b. 8-2-5-11-1-7-6-12-4-3-9-10
4c. 1 Tyler 2 Moore 3 Carruthers 4 Wallace 5 Farrow 6 Zeta 7 Starkey
4d. 1 Can/Could I take a message, please? Certainly 2 Could/Can you spell your name, please? Sure 3 Can/Could you give me her phone number, please? I can't 4 Could/Can you repeat that, please? Of course.

e. Conversaciones telefónicas: Une las frases de la izquierda con la respuesta adecuada a la derecha como en el ejemplo 1:

1. Who´s calling?	a.Yes, please. Can she call me back?
2. Could you spell that?	b. It´s 432 678 1407
3. Can I take a message?	c. S-E-R-R-A-N-O
4. What´s your phone number?	d. This is Luis Flores
5. Can you repeat that?	e. Sure. It´s 432 678 1407

f. Completa el siguiente diálogo con las expresiones del recuadro:

take certainly I´d like could who´s calling phone number

A: Good afternoon. (1)............ .... to speak to Brenda Turlington, please.

B: (2)............ ....?

A: Luis Flores.

B: I´m sorry, she´s not in the office right now. Can I (3)............... a message?

A: Yes, please. (4)...............you tell her to call me?

B: (5)..............What´s your (6)............ ....?

A: It´s 456 780 0912

g. Las letras de los días de la semana están mezcladas. Descubre que día es cada uno y escríbelo correctamente:

1. y n e e w d s a d ....
2. a y u t a s r d ....
3. a o y n m d ....
4. y a f d r i ....
5. h y r d a u t s ....
6. a u y s d n ....
7. u s e y t d a ....

4e.1-d 2-c 3-a 4-b 5-e
4f. (1) I'd like (2) Who´s calling (3) take (4) Could (5) Certainly (6) phone number
4g.1-Wednesday 2-Saturday 3-Monday 4-Friday 5-Thursday 6-Sunday 7-Tuesday

Unit 10 Phone conversations / Conversaciones telefónicas

Lesson 10

1 Escuchemos el CD

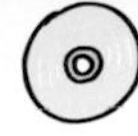

Cada vez que aparezca este ícono puedes escuchar el CD

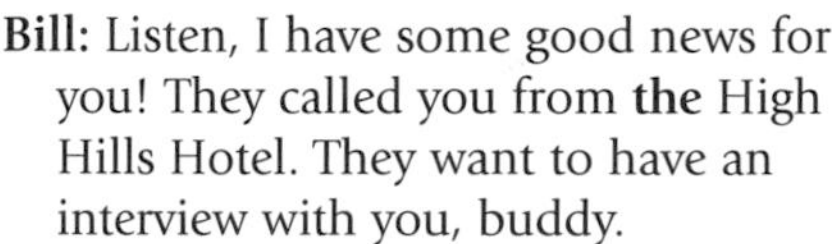

Cuando Luis regresa al departamento, Bill le cuenta sobre el llamado.

Bill: Listen, I have some good news for you! They called you from **the** High Hills Hotel. They want to have an interview with you, buddy.
Luis: You´re kidding.
B: I´m not kidding. Here´s **the** name and **the** phone number. Call them right now!
L: Oh, my God. It´s true! (Luis dials the number)
Operator: High Hills Hotel, how can I help you?
L: I´d like to speak to… Brenda Turlington, please.
O: Just a moment, I´ll put you through.
Brenda: Hello?
L: Hello. Could I speak to Brenda Turlington, please?
BT: Speaking.
L: This is Luis Flores. **I´m calling about the** interview for front desk clerk…
BT: Oh, yes, Mr. Flores. Let me see… **Is** 4 o´clock **on Thursday O.K**? Or **Friday, at** 11:30?
L: Er,… I prefer **Thursday.**
BT: Right.
L: Could you tell me **the** address, please?
BT: Sure. It´s 714 Geary Street. G-E-A-R-Y.
L: Fine.
BT: So, see you **on** Thursday **at** 4 o´clock. Thank you for calling. Goodbye.
L: Goodbye.

Bill: Oye, ¡tengo buenas noticias para ti! Te llamaron **del** Hotel High Hills. Quieren tener una entrevista contigo, amigo.
Luis: Estás bromeando.
B: No estoy bromeando. Aquí está **el** nombre y **el** número de teléfono. ¡Llámalos ya!
L: ¡Dios mío! ¡Es verdad! (Luis disca el número)
Operador: Hotel High Hills, ¿en qué puedo ayudarlo?
L: Quisiera hablar con… Brenda Turlington, por favor.
O: Un momento, lo comunico.
Brenda: ¿Hola?
L: Hola. ¿Podría hablar con Brenda Turlington, por favor?
BT: Habla ella.
L: Habla Luis Flores. **Llamo por la** entrevista para recepcionista…
BT: Ah, sí, señor Flores. Déjeme ver… **¿Le queda bien el jueves a las** 4? O **el viernes a las 11:30**?
L: Eh,… prefiero **el jueves**.
BT: Bien.
L: ¿Podría decirme **la** dirección, por favor?
BT: Seguro. Es Geary Street 714. G-E-A-R-Y.
L: Muy bien.
BT: Entonces, lo veo el jueves **a** las 4. Gracias por llamar. Adiós.
L: Adiós.

a. Phone Language/ Lenguaje telefónico:

Cuando pides hablar con una persona, **al transferir el llamado te dirán:**

Just a moment, **I´ll put you through.** Un momento, **lo comunico.**
Just a minute, **I´ll transfer your call.** Un minuto, t**ransfiero su llamada.**

Cuando pides hablar con alguien y esa persona es la que atendió el teléfono, o cuando piden hablar contigo y tú has atendido el teléfono, dirás:

Speaking. **Habla él/ella.**

Could I speak to Brenda Turlington? ¿Podría hablar con Brenda Turlington?
Speaking. Habla ella.

I´d like to speak to Luis Flores. Quisiera hablar con Luis Flores.
Speaking. Habla él.

Para decir quién eres por teléfono, no dices "I am" sino **"This is":**

This is Luis Flores. **Soy** Luis Flores. /**Habla** Luis Flores.

Para **indicar la razón de tu llamado**, puedes decir:

I´m calling about an interview **Llamo por** una entrevista
a job offer una oferta de trabajo

b. The time/ La hora.
Para **preguntar la hora**, dices:

What time is it? ¿**Qué** hora es?

a quarter to
(menos cuarto)

o´clock
(en punto)

a quarter after
(y cuarto)

half past
(y media)

Excepto la hora en punto (o´clock), tienes dos maneras de decir la hora: escucha el CD

a. usando **after** (y), **half past** (y media) y **to** (menos): En estos casos los minutos se dicen primero.
b. leyendo los números en el orden en que aparecen:

It´s three o´clock	3:00	**Son** las tres
a) ten **after** three b) three ten	3:10	tres **y** diez
a) a quarter **after** three b) three fifteen	3:15	tres **y** cuarto
a) twenty **after** three b) three twenty	3:20	tres **y** veinte
a) **half past** three b) three thirty	3:30	tres **y** media
a) twenty-five **to** four b) three thirty-five	3:35	cuatro **menos** veinticinco
a) a quarter **to** four b) three forty-five	3:45	cuatro **menos** cuarto

a.m: antes de las 12 del mediodía **p.m: después de las 12 del mediodía**

c. Months of the year/ Los meses del año.
Se escriben siempre con mayúscula. Escucha la pronunciación en el CD.

3 Estudiemos la gramática

a. Las preposiciones de tiempo **"in" "on"** y **"at"**

"In"	se usa con los meses del año: **In** December, **in** March	**En** diciembre, **en** marzo.
"On"	se usa con los días de la semana: **On** Monday, **on** Tuesday	**El** lunes, **el** martes.
"At"	se usa con la hora: **At** three o´clock, **at** ten fifteen	**A** las tres, **a** las diez y cuarto.

b. Los artículos "a"(un/una) y **"the"** (el-la/ los-las)
Se usa "a" cuando **no nos referimos a alguien o algo en especial** o **cuando mencionamos algo por primera vez:**

She´d like to have **an** interview with him. Ella quisiera tener **una** entrevista con él.
I´ll get **a** pen . Conseguiré **un** bolígrafo.
Can I take **a** message? ¿Puedo tomar **un** mensaje?

Llamadas:

También se usa **con los trabajos**: (Unit 4, Lesson 4B, 2)

He´s **an** architect She´s **a** nurse

Se usa **"the"** cuando **está claro a qué nos referimos**, ya sea porque se mencionó antes en la conversación o porque se sobreentiende:

Here´s **the** name and **the** phone number.	Aquí está **el** nombre y **el** número (se sabe de qué nombre y número se está hablando)
I´m calling about **the** interview.	Llamo por **la** entrevista (se sabe de qué entrevista se está hablando)
Could you tell me **the** address, please?	¿Podría decirme **la** dirección, por favor? (se sabe qué dirección se está solicitando)

Cuando **la persona, lugar o cosa es única**:

the sun **el** sol **the** moon **la** luna **the** world **el** mundo **the** sea **el** mar
the capital of Australia **la** capital de Australia
the President of the U.S.A **el** Presidente de EE.UU

Con **instrumentos musicales y la radio:**

the piano **the** guitar **the** radio

He plays **the** piano very well. El toca **el piano** muy bien.
I never listen to **the** radio. Nunca escucho **la** radio.

Con los nombres de **hoteles**, **restaurantes**, **museos, teatros**:

the High Hills Hotel **the** Mexican Museum **the** Magic Theater

c. No se usa artículo en los siguientes casos:

• **television:**	I always watch **television** in the evenings
• **breakfast/lunch/dinner:**	I´m having **dinner**
• **days of the week** (días de la semana)	I play tennis on **Wednesdays**
• **the time** (la hora)	It´s **three o´clock**

4 Ejercicios para practicar lo que aprendimos

Las respuestas escritas (Key) están al pie de cada página

a. Escucha el CD y completa las siguientes conversaciones telefónicas. 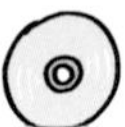

1. A: (1)......... .... to speak to Bill, please.

   B: (2)........................

2. A: (1)......... ....?

   B: (2)......... ....Luis Flores.

3. A: I´m (1)......... ....an interview.

   B: Yes, (2)...............Friday in the morning...............?

4. A: (1)............... I speak to Annie, please?

   B: Just a moment, I´ll (2)............... you ....

b. Une con una flecha las horas como en el ejemplo:

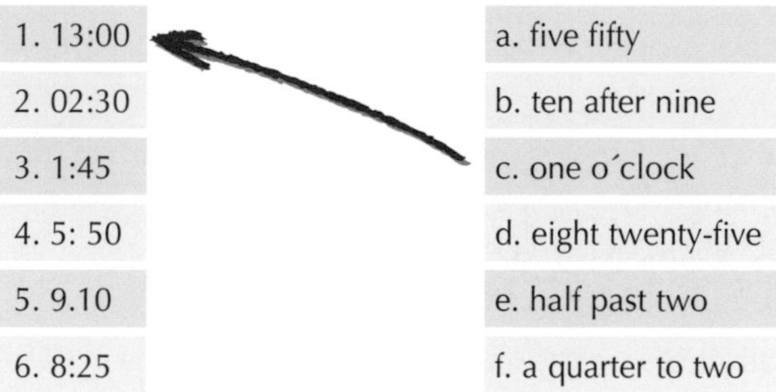

1. 13:00	a. five fifty
2. 02:30	b. ten after nine
3. 1:45	c. one o´clock
4. 5: 50	d. eight twenty-five
5. 9.10	e. half past two
6. 8:25	f. a quarter to two

c. Marca el orden en que escuchas las diferentes horas en el CD. La primera (c) ya ha sido marcada.

a. It´s 09:00 a.m (....)

b. It´s 02:30 (....)

c. It´s 03:20 (**1**)

d. It´s 11:15 p.m (....)

e. It´s 12:50 (....)

f. It´s 11:05 (...)

g. It´s 04:45 (...)

h. It´s 06:00 p.m (....)

i. It´s 05:25 a.m (.....)

j. It´s 01:00 (...)

4a.1 (1) I´d like (2) Speaking 2 (1) Who´s calling? (2) This is 3 (1) calling about (2) is ... O.K? 4 (1) Could (2) put ... through
4b.1-c 2-e 3-f 4-a 5-b 6-d
4c.(1) c (2) h (3) a (4) j (5) b (6) d (7) i (8) f (9) e (10) g

d. Coloca estas palabras con la preposición que corresponda:

Friday December 10:30 Monday July 19:45 January 09:10 Tuesday

IN		ON		AT	
	1...............		1...............		1...............
	2...............		2...............		2...............
	3...............		3...............		3...............

e. Agrega **"a"**, **"the"** o deja el espacio en blanco **(Ø)** donde corresponda:

1. I have........... car.
2. Bill plays........... guitar very well.
3. I live in........... apartment.
4. I have........... breakfast at 9:00 in........... morning.
5. .... hotel is very big.
6. I like watching .... television.
7. .... capital of Spain is Madrid.
8. Do you have........... pen, please?
9. She is .... doctor.
10. I go to .... movies on Saturdays.

f. Ordena la siguiente conversación telefónica. Luego escucha el CD.

- ☐ 1. Oh, yes, ... is Monday at 3 o´clock O.K?
- ☐ 2. High Hills Hotel, How can I help you?
- ☐ 3. Just a moment, I´ll put you through.
- ☐ 4. Speaking.
- ☐ 5. I´d like to speak to John Gray.
- ☐ 6. Hello?
- ☐ 7. Hello, could I speak to John Gray?
- ☐ 8. This is Brian Matthews. I´m calling about an interview.
- ☐ 9. Yes, that´s fine.
- ☐ 10. See you on Monday, then. Goodbye.

4d. IN 1 December -2 July -3 January ON 1 Friday 2 Monday 3 Tuesday AT 1 10:30 -2 19:45 -3 09:10
4e.1-a 2-the 3-an 4- Ø/the 5-The 6- Ø 7-The 8- a 9-a 10 the
4f. 2-5-3-6-7-4-8-1-9-10

Unit 11 Giving directions / Dando instrucciones

Lesson 11

1 Escuchemos el CD

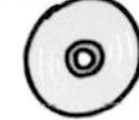

Cada vez que aparezca este ícono puedes escuchar el CD

Luis tiene su entrevista de trabajo y le pregunta a Bill cómo llegar allí.

Luis: Say, Bill, **how can I get to** the High Hills Hotel?
Bill: Where is it?
L: It´s **at** ...714 Geary Street.
B: That´s Geary Street and Jones Street, **near** the Civic Center. Let me think ... You can go by bus. You can take the 22 bus up to Geary and the 38 bus up to Jones Street. I think the hotel is **across from** a big park.

L: Is it **far from** here?
B: No, just ten minutes.
L: **Where**´s the bus stop?
B: Oh, it´s near. **Walk to the corner** and **turn left. Go straight ahead for** two blocks, **go across** the avenue and you´ll see the bus stop on your right.
L: O.K, thanks Bill. Only one more thing, **is there** any supermarket around here?
B: Yes, **there is** one **on the corner of** Folsom St and 23rd St, **next to** the baker´s. And there is another **between** the drugstore **and** the dry cleaner´s. Why?
L: Well, **there isn´t** any shaving lotion or toothpaste, and **there aren´t** any vegetables either.
B: Yes, you´re right; but don´t worry, I´ll go to the supermarket.
L: Great, thanks a lot. Oh, **I´ve got to go!**

B: Well, hurry up! Good luck in your interview!
L: Thank you Bill, **see you later.** Bye.

Luis: Dime, Bill, **¿cómo puedo llegar** al High Hills Hotel?
Bill: ¿Dónde está?
L: Está **en** ... Geary Street 714.
B: Eso es Geary Street y Jones Street, **cerca** del Centro Cívico. Déjame pensar...Puedes ir en autobus. Puedes tomar el autobus 22 hasta Geary y el autobus 38 hasta Jones Street. Creo que el hotel está **enfrente de** un gran parque.
L: ¿Es **lejos** de aquí?
B: No, sólo diez minutos.
L: **¿Dónde** está la parada de autobuses?
B: Ah, está cerca. **Camina hasta la esquina** y **dobla a la izquierda. Sigue derecho** dos cuadras, **cruza** la avenida y verás la parada de autobuses a tu derecha.
L: Bien, gracias Bill. Sólo una cosa más, ¿**hay** algún supermercado por aquí?
B: Sí, **hay** uno **en la esquina de** Folsom St y 23rd St, **al lado** de la panadería. Y hay otro **entre** la farmacia y la tintorería. ¿Por qué?
L: Bueno, **no hay** crema para afeitar o pasta dental, y **no hay** verduras tampoco.
B: Sí, tienes razón; pero no te preocupes, yo iré al supermercado.
L: Fantástico, muchas gracias. **¡Tengo que irme!**
B: Bueno, ¡apúrate! ¡Buena suerte en tu entrevista!
L: Gracias Bill, **te veo más tarde.** Adiós.

2 Usemos el idioma

a. Cuando necesitas **preguntar cómo llegar a un lugar**, puedes decir:

How can I get to the High Hills Hotel? ¿**Cómo puedo llegar** al Hotel High Hills?
the airport? al aeropuerto?
the station? a la estación?

b. y para saber **dónde queda un lugar:**

Where is the bus stop?	¿**Dónde está** la parada de autobuses?
Where´s the supermarket?	¿**Dónde está** el supermercado?
Is there a supermarket near here?	¿Hay un supermercado **cerca** de aquí?
Is it **far from** here?	¿**Es lejos** de aquí?
Is it **near** here?	¿**Es cerca** de aquí?

c. Numbers/Los números del **60 al 900**. Escucha la pronunciación en el CD.

60 sixty	**105** a hundred five	**500** five hundred
70 seventy	**110** a hundred ten	**600** six hundred
80 eighty	**200** two hundred	**700** seven hundred
90 ninety	**300** three hundred	**800** eight hundred
100 a hundred/one hundred	**400** four hundred	**900** nine hundred

d. Aprendamos dos formas de decir y escribir el número **0**:

zero (zirou)	especialmente en matemática y para la temperatura.
oh (ou)	para la hora, números telefónicos, direcciones, cuartos de hotel.

0° C: **zero** degree Celsius 15:05: fifteen **oh** five

e. Para **despedirte**, puedes decir también:

I have to go	Tengo que irme
I´ve got to go	Tengo que irme
See you later	Te veo más tarde

f. Means of transport /Los **medios de transporte**:
Se usan con la preposición **by:**

You can go **by** bus	Puedes ir en autobus
car	automóvil
train	tren
taxi	taxi
plane	avión
bicycle	bicicleta

3 Estudiemos la gramática

a. Para **dar instrucciones** se usa la **forma imperativa del verbo**, es decir, el verbo sin un pronombre sujeto delante.

Afirmativo

Walk to the corner	Camine hasta la esquina
Turn left	Doble a la izquierda
Go across the avenue	Cruce la avenida

Negativo: se agrega ***Don´t*** delante del verbo.

Don´t walk to the corner	**No camine** hasta la esquina
Don´t turn left	**No doble** a la izquierda
Don´t go across the avenue	**No cruce** la avenida

b. Estudiemos las siguientes expresiones que se usan para **indicar cómo llegar a un lugar**. Escucha la pronunciación en el CD.

Go straight ahead across the avenue	Siga derecho Cruce la avenida
Walk to the corner **Go**	Camine hasta la esquina Vaya
Turn right left	Doble hacia la derecha hacia la izquierda
Take the first right second left	Doble en la primera calle a su derecha en la segunda calle a su izquierda

c. Fíjate en las siguientes **expresiones** que se usan para **describir la ubicación de un lugar:**

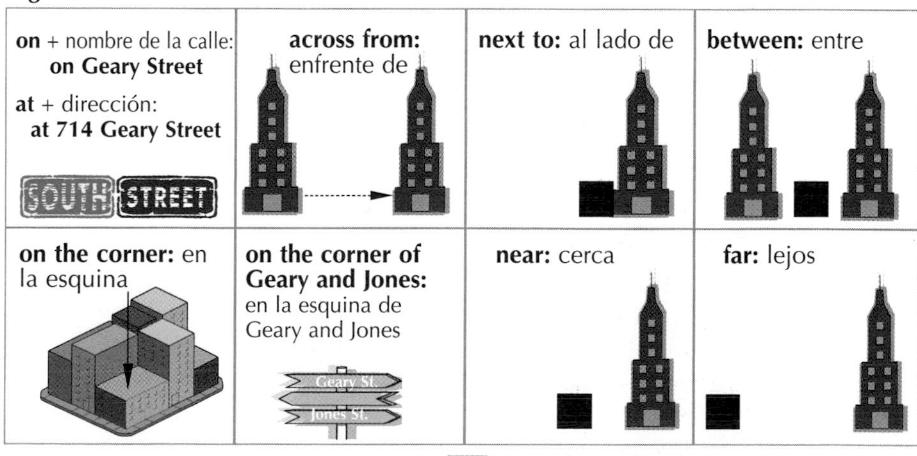

on + nombre de la calle:
on Geary Street
at + dirección:
at 714 Geary Street
SOUTH STREET
across from:
enfrente de
next to: al lado de
between: entre
on the corner: en la esquina
on the corner of Geary and Jones:
en la esquina de Geary and Jones
Geary St.
Jones St.
near: cerca
far: lejos

The hotel is **on** Geary Street. El hotel está **en** la calle Geary.
The hotel is **at** 714 Geary Street. El hotel está **en** la calle Geary 714.
It is **across from** a park. Está **enfrente de** un parque.
The hotel is **near** the Civic Center. El hotel está **cerca del** Centro Cívico.
It is **far from** the Civic Center. Está **lejos del** Centro Cívico.
The hotel is **on the corner.** El hotel está **en la esquina.**
It **is on the corner of** Geary and Jones. Está **en la esquina de** Geary y Jones.
The supermarket is **next to** the baker´s. El supermercado está **al lado de** la panadería.
It is **between** the drugstore and the dry cleaner´s. Está **entre** la farmacia y la tintorería.

d. El verbo haber:

There is ⟶ **hay:** singular (una sola cosa/persona)
There are ⟶ **hay:** plural (más de una cosa/persona)

Oraciones afirmativas:

There is a supermarket near here. **Hay** un supermercado cerca de aquí.
There are four supermarkets near here. **Hay** cuatro supermercados cerca de aquí.

Oraciones negativas: Se agrega **not: There is not/There are not.**
Se usan generalmente las contracciones: **There isn´t / There aren´t.**

There isn´t a hotel near here. **No hay** un hotel cerca de aquí.
There aren´t big hotels near here. **No hay** grandes hoteles cerca de aquí.

Oraciones interrogativas: El verbo **to be** se coloca delante de **there**.

There is a hotel. **Hay** un hotel.

Is there a hotel? **¿Hay** un hotel?

En las **preguntas en plural,** se agrega **"any"**: algunos/algunas. Generalmente no se traduce

Are there any big hotels? **¿Hay** grandes hoteles?

Y para **contestar con respuestas cortas:**

Are there any big hotels? Yes, **there are.** / No, **there aren´t.** ¿Hay grandes hoteles? Sí, hay. / No, no hay.

e. Escucha en el CD la diferente pronunciación de estos pares de números. Las negritas te indican dónde se acentúa la palabra:

última sílaba	primera sílaba	última sílaba	primera sílaba	última sílaba	primera sílaba
13 thir**teen**	30 **thir**ty	16 six**teen**	60 **six**ty	17 seven**teen**	70 **se**venty
14 four**teen**	40 **for**ty			18 eigh**teen**	80 **eigh**ty
15 fif**teen**	50 **fif**ty			19 nine**teen**	90 **nine**ty

4 Ejercicios para practicar lo que aprendimos

Las respuestas escritas (Key) están al pie de cada página

a. Escucha el CD y completa los espacios en blanco en el siguiente diálogo

1. A: Excuse me, (1)......... .... the High Hills Hotel?

   B: It´s not (2)............ Walk to the (3)...........of Harrison Street.(4)...........

   right and go (5)........... .... for three blocks. The hotel is on your (6)...........

   A: Thank you very much.

2. A: (1)........... .... an Italian restaurant (2)...........here?

   B: Yes, (3)........... .... (4)........... the first right and the second (5).........

   The restaurant is (6)...........the (7) ....of Folsom and Geary.

   A: Thanks a lot!

   B: You´re welcome.

3. A: (1)........... is the supermarket?

   B: It´s (2)........... to the baker´s.

   A: Is it (3)...........from here?

   B: No, it´s very (4)............ Go (5)........... the avenue, turn (6)........... and

   you´ll see the supermarket on your (7)............

b. Escribe las siguientes oraciones en su forma negativa.

Ej: Turn right **_Don´t turn right_**

1. Go straight ahead ....
2. Take the first right ....
3. Walk to the corner ....
4. Go across the avenue ....
5. Turn left ....

4a 1 (1) How can I get to(2) far (3) corner (4) Turn (5) straight ahead (6) right 2 (1) is there (2) near (3) there is (4) Take (5) left (6) on (7)corner 3 (1) Where (2) next (3) far (4) near (5) across (6) left (7) right.
4b. 1 Don´t go straight ahead 2 Don´t take the first right 3 Don´t walk to the corner 4 Don´t go across the avenue 5 Don´t turn left

c. Estos lugares se encuentran en tu vecindario. Mira las imágenes y completa las oraciones con **there is /there are – there isn´t/there aren´t.**

Ej: ***There isn´t a*** --------- near here.

1........................a bank near here.

2........................a museum near here.

3........................a supermarket near here.

4........................a bus stop near here.

5........................a school near here.

6........................a restaurant near here.

d. Ahora contesta estas preguntas relacionadas con el ejercicio anterior con respuestas cortas:

1. Is there a bank near here? ....
2. Is there a drugstore near here? ....
3. Is there a supermarket near here? ....
4. Is there a post office near here? ....
5. Is there a school near here? ....

e. ¿Qué número escuchas? Marca el correcto, y escríbelo en letras.
El número 1. te sirve de ejemplo

1. 15 50...fifty...   2. 19 90.................   3. 17 70.................

4. 13 30.................   5. 14 40.................   6. 16 60.................

f. Juguemos al bingo. Marca los 5 números que escuches por cada tarjeta.

1

14	56	78
09	72	45
13	13	90

2

50	21	08
67	15	80
01	18	91

3

76	60	16
27	34	04
40	55	15

4

00	77	29
63	07	92
12	20	08

4c. 1 There isn't 2 There is 3 There is 4 There is 5 There isn't 6 There is
4d. 1 Yes, there is 2 No, there isn't 3 Yes, there isn't 4 No, there is 5 No, there isn't
4e. 1 50-fifty 2 19-nineteen 3 17-seventeen 4 30-thirty 5 14-fourteen 6 60-sixty
4f. 1 14-72-13-45-90 2 50-67-80-91-01 3 15-16-04-55-27 4 00-20-77-63-07

Unit 12 Job interview / Entrevista de trabajo

Lesson 12

1 Escuchemos el CD

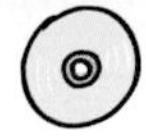

Cada vez que aparezca este ícono puedes escuchar el CD

Luis llega al Hotel High Hills y tiene una entrevista con la Sra.Turlington.

Mrs Turlington: Good afternoon, **Mr** Flores. **How do you do?**
Luis: I´m fine, thank you, **Mrs** Turlington.
Mrs T: Please, **call me** Brenda. Take a seat.
L: Oh, **all right**, thanks.
Mrs T: So, you´re Mexican …
L: Yes, that´s right.
Mrs T: I **visited** Mexico 2 years **ago**. **I liked** it very much.
L: Yes, it´s a beautiful country.
Mrs T: Did you **work** in a hotel in Cancun?
L: Yes, I **worked** there **last** year.
Mrs T: And **what** exactly **did you do?**
L: First, I **was** a bell captain and then, a front desk clerk.
Mrs T: I see. And **did** you **enjoy** your job?
L: Yes, I really liked helping guests.
Mrs T: Yes, interesting… and… why **did** you **leave** your job?
L: Well, I **met** Bill, an American friend. He was on vacation in Cancun. He **invited** me to come here and I **accepted.**
Mrs T: One more question, Mr Flores… When can you start?
L: Right now, if you want!

Sra.Turlington: Buenas tardes, **Sr.** Flores. **¿Cómo está usted?**
Luis: Bien, gracias, **Sra.** Turlington.
Sra. T: Por favor, **llámeme** Brenda. Tome asiento.
L: Ah, **está bien**, gracias.
Sra. T: Así que es mexicano ...
L: Sí, **así es.**
Sra. T: Yo **visité** México dos años **atrás.** Me **gustó** mucho.
L: Sí, es un país hermoso.
Sra. T: ¿Usted **trabajó** en un hotel en Cancún?
L: Sí, **trabajé** allí el año **pasado**.
Sra. T: ¿Y qué **hacía** exactamente?
L: Primero, **fui** jefe de portería y luego, recepcionista.
Sra. T: Entiendo. ¿Y **disfrutaba** de su trabajo?
L: Sí, realmente me encantó ayudar a los huéspedes.
Sra. T: Sí, interesante… y… ¿por qué **dejó** su trabajo?
L: Bueno, conocí a Bill, un amigo americano. Él **estaba** de vacaciones en Cancún. Me **invitó** a venir aquí y yo **acepté**.
Sra. T: Una pregunta más, Sr. Flores… ¿Cuándo puede empezar?
L: ¡Ahora mismo, si usted quiere!

2 Usemos el idioma

a. **Formal greetings:** Saludos formales

Cuando **te presentan a alguien en una situación formal**, puedes decir:

How do you do? ¿Cómo está/s usted/tú?

y puedes responder

Very well, thank you.	Muy bien, gracias.
I´m fine, thank you.	Bien, gracias.
Pleased to meet you.	Encantado de conocerte.
How do you do?	¿Cómo está usted?

b. Para pedir que **te llamen por tu primer nombre:**

Please, **call me** Brenda.	Por favor, llámeme Brenda.
Just call me Brenda.	Llámame Brenda.

c. Cuando te encuentras en una **situación formal** y **debes dirigirte a alguien, ya sea en persona o por escrito**, debes usar el apellido de la persona y alguna de estas posibilidades:

Mr (mister)	si es un hombre	Mr Malcom	Sr. Malcom
Ms (miz)	si es una mujer	Ms Burns	Sra. o Srta.Burns
Mrs (misis)	si es una mujer casada	Mrs Turlington	Sra.Turlington
Miss (mis)	si es una mujer soltera	Miss Burns	Srta.Burns

d. Fíjate en estas expresiones con la palabra **right:**

para mostrar que **estás de acuerdo**, o **has entendido o aceptado** algo que te dijeron, dices:

All right

Please, **call me** Brenda.	Por favor, llámeme Brenda.
Oh, **all right.**	Ah, está bien.

para **decir que alguien tiene razón,** se usa:

I´m right You**´re right** **He´s right** **She´s right** We**´re right** They**´re right**:

There aren´t any vegetables.	No hay verduras.
Yes, **you´re right.**	Sí, **tienes razón.**

para **confirmar algo que te han dicho**, dices:

That´s right

So, you´re Mexican.	Así que eres mexicano.
Yes, **that´s right.**	Sí, así es**.**

3 Estudiemos la gramática

a. Simple Past: El Pasado Simple

Se usa para hablar de acciones, estados o situaciones **que ocurrieron en el pasado y están terminadas.**

Verbo to be

Afirmativo		Negativo
I **was**	Yo fui/estuve	I **was not/wasn´t**
You **were**	Tú fuiste/estuviste	You **were not/weren´t**
He **was**	Él fue/estuvo	He **was not/wasn´t**
She **was**	Ella fue/estuvo	She **was not/wasn´t**
It **was**	Ello fue/estuvo	It **was not/wasn´t**
We **were**	Nosotros/as fuimos/estuvimos	We **were not/weren´t**
You **were**	Ustedes fueron/estuvieron	You **were not/weren´t**
They **were**	Ellos/as fueron/estuvieron	They **were not/weren´t**

Interrogativo El verbo se coloca delante del pronombre:

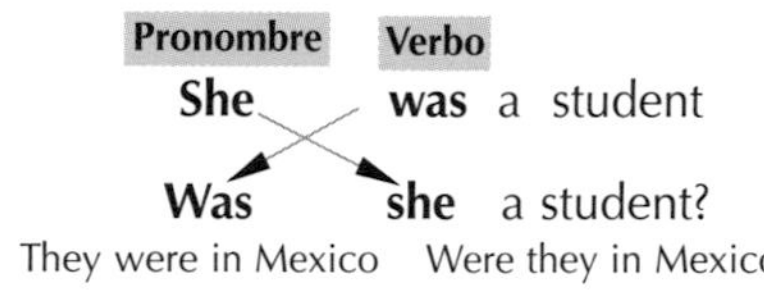
Pronombre
Verbo
She
was a student
Was
she a student?
They were in Mexico
Were they in Mexico?

Otros verbos

Los verbos se dividen en **regulares** e **irregulares,** según cómo forman el pasado.

Verbos regulares:

Forman el pasado agregando **–ed** al final del verbo:

Presente	Pasado
work	work**ed**
visit	visit**ed**
start	start**ed**
answer	answer**ed**

I **worked** in a hotel. Yo **trabajé** en un hotel.

Verbos irregulares:

Generalmente se modifica una parte o toda la palabra:

Presente	Pasado
go	**went**
have	**had**
tell	**told**
speak	**spoke**

They **went** to the movies. Ellos **fueron** al cine.

En las afirmaciones, **los verbos se usan de la misma manera con todas las personas. En las negaciones, se usa el auxiliar de pasado did not o didn't antes del verbo, el cual va en infinitivo**

Afirmativo		Negativo
I start**ed**	Yo comencé	I **did not/ didn't start**
You start**ed**	Tú comenzaste	You **did not/ didn't start**
He start**ed**	Él comenzó	He **did not/ didn't start**
She start**ed**	Ella comenzó	She **did not/ didn't start**
It start**ed**	Ello comenzó	It **did not/ didn't start**
We start**ed**	Nosotros/as comenzamos	We **did not/ didn't start**
You start**ed**	Ustedes comenzaron	You **did not/ didn't start**
They start**ed**	Ellos/as comenzaron	They **did not/ didn't start**

Para las **preguntas** se coloca el auxiliar **did** delante de los pronombres, con todas las personas. Como en las negaciones, cuando se usa el auxiliar, el verbo se usa en **infinitivo.**

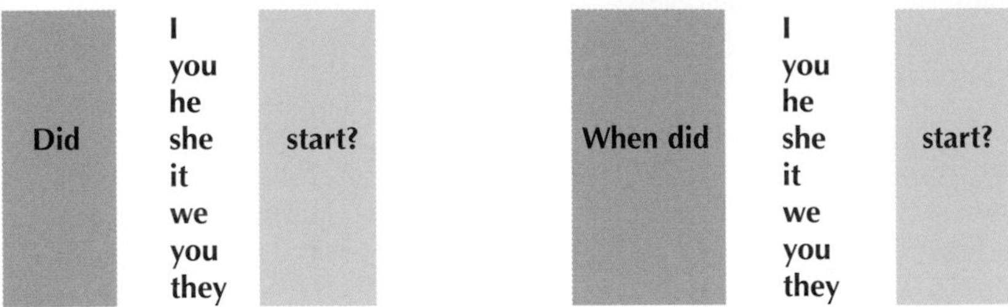

Did	**I** **you** **he** **she** **it** **we** **you** **they**	**start?**	**When did**	**I** **you** **he** **she** **it** **we** **you** **they**	**start?**

Did she **start** university? ¿**Comenzó** ella la universidad?
When did she **start** university? ¿**Cuándo comenzó** ella la universidad?

Cuando se usa el pasado simple, pueden usarse estas palabras:

yesterday (ayer)

I went to the supermarket **yesterday** — **Fui** al supermercado **ayer**
yesteday morning — **ayer** a la mañana

ago (atrás)

I visited Mexico 2 years **ago** — Visité México 2 años **atrás**
1week **ago** — 1 semana **atrás**

last (pasado)

I worked there **last** year — **Trabajé** allí el año **pasado**
last month — el mes **pasado**
last night — **anoche**

Algunos vcrbos **regulares y su pasado.** Escuchemos el CD.

Verb	Simple past	Verb	Simple past	Verb	Simple past
cook (cocinar)	cooked	help (ayudar)	helped	like (gustar)	liked
live (vivir)	lived	look (mirar)	looked	love (amar)	loved
open (abrir)	opened	play (jugar)	played	rent (alquilar)	rented
show (mostrar)	showed	study (estudiar)	studied	try (intentar)	tried
travel (viajar)	traveled	want (querer)	wanted	watch (mirar)	watched
work (tabajar)	worked	enjoy (disfrutar)	enjoyed	hate (odiar)	hated

Algunos verbos **irregulares y su pasado:**

Verb	Simple past	Verb	Simple past	Verb	Simple past
come (venir)	came	do (hacer)	did	eat (comer)	ate
feel (sentir)	felt	go (ir)	went	meet (conocer)	met
sleep (dormir)	slept	take (tomar)	took	teach (enseñar)	taught
tell (contar)	told	have (tener)	had	write (escribir)	wrote
put (poner)	put	hear (oir)	heard	send (enviar)	sent

4 Ejercicios para practicar lo que aprendimos

Las respuestas escritas (Key) están al pie de cada página

a. Elige un verbo del recuadro y colócalo donde corresponda:

Ej: meet ***: met***

met	**came**	**told**	**visit**	**lived**
cooked	**slept**	**went**	**took**	**loved**
looked	**ate**	**wanted**	**rented**	**felt**
studied	**opened**	**played**	**showed**	**wrote**

1. cook:..............
2. play:..............
3. rent:..............
4. feel:..............
5. want:..............
6. go:..............
7. live:..............
8. sleep:..............
9. take:..............
10. eat:..............

b. Completa la tabla usando el pasado simple. Fíjate en el ejemplo 1:

1. work	I..worked...	Did I work?	I didn't work?
2. study	She..............	..............?	....
3. enjoy	We..............	..............?	....
4. live	He..............	..............?	....
5. meet	They..............	..............?	....
6. visit	You..............	..............?	....

c. Completa la oración con el pasado del verbo entre paréntesis:

1. I *(meet)* .... Bill in Cancun last year.
2. They *(study)*.............. tourism in Spain.
3. I *(work)* .... as a front desk clerk three years ago.
4. She *(teach)* .... me English.
5. We *(visit)* .... my brother yesterday.
6. He *(have)*.............. a good job.

4a: 1cooked 2 played 3 rented 4 felt 5 wanted 6 went 7 lived 8 slept 9 took 10 ate
4b: 2 She studied /did she study?/ She didn't study 3 We enjoyed/Did we enjoy?/ We didn't enjoy 4 He lived/Did he live? He didn't live 5 They met/ Did they meet?/ They didn't meet 6 You visited/ Did you visit?/ You didn't visit
4c 1 met 2 studied 3 worked 4 taught 5 visited 6 had

d. Escucha el CD y completa con los verbos en los espacios en blanco:

1. Where did you...........on vacation?

   I ....to Italy.

2. Did she .... in a hotel?

   Yes, she .... in a big hotel in Canada.

3. When did he ....Bill?

   He ....him in Mexico

4. Did they...........the movie?

   Yes, they...........it yesterday.

5. Did you...........out?

   Yes, I................out.

e. Escucha el CD. Responde las preguntas como en el ejemplo:

1. When did they travel to Spain? Two years ago
2. When did she visit her mother? ....
3. When did he have an interview? ....
4. When did you meet? ....
5. When did Bill study? ....
6. When did they watch that movie? ....

f. Escucha el diálogo en el CD. Completa los espacios en blanco con was/were/wasn´t/weren´t

1. A: Where (1)...........you yesterday?

   B: I (2)...........at home.

   A: (3) ....you tired?

   B: No I (4)............

2- A: Where did you go last Saturday?

   B: I went to the movies.

   A: (1)...........it interesting?

   B: No, it (2)........It (3) ....boring.

3- A: Where (1)........... your grandparents from?

   B: They (2)...........from Canada.

   A: (3)........... they teachers?

   B: No, they (4)............ My grandfather (5) .... a doctor and my grandmother (6)........... a nurse.

4d. 1 go/went 2 work/worked 3 meet/met 4 watch/watched 5 eat/yes ate 4e. 1 two years ago 2 yesterday afternoon 3 last week 4 two months ago 5 last Wednesday 6 last night 4f. 1- (1) were (2)was (3)Were (4)wasn´t 2- (1) Was (2) wasn´t (3) was 3- (1) were (2) were (3) Were (4) weren´t (5) was (6) was

Unit 13 The supermarket list / La lista del supermercado

Lesson 13

1 Escuchemos el CD

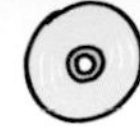

Cada vez que aparezca este ícono puedes escuchar el CD

Cuando se despide de Luis que va a su entrevista laboral, Bill pasa por su casa para hacer la lista de compras e ir al supermercado.

Bill: So... we need shaving lotion, toothpaste... and soap too... O.K. Now, let's see... there are **some tomatoes** but there aren't **any carrots**. **I'll get some**. We have only a **few eggs**. **I'll get** a dozen. We also need **potatoes** and **onions**. We could invite Annie for dinner on Friday... so **I'll get some meat** and prepare a barbecue. And **fruit?**... Let's see... We need **some oranges** and **apples**. **I'll buy some** more ice cream. I think Annie and Luis would like chocolate mint and vanilla. (The phone rings...)

Bill: Entonces...necesitamos crema para afeitar, pasta dental... y jabón **también**... Bien. Veamos... **hay algunos tomates** pero **no hay zanahorias**. **Compraré un poco**... Tenemos solo unos **pocos huevos**. **Compraré** una docena. También necesitamos **papas** y **cebollas**. Podríamos invitar a Annie a cenar el viernes... así que **compraré algo de carne** para preparar una barbacoa. ¿Y fruta?... Veamos... Necesitamos **algunas naranjas** y **manzanas**. **Compraré un poco más** de helado. Pienso que a Annie y a Luis les va a gustar el helado de menta chocolatada y vainilla. (Suena el teléfono...)

Bill: Hello?
Annie: Hi, Bill. It's Annie. Listen, my cousin Meg is coming from Seattle. Would you and Luis like to come over for dinner on Friday?
B: Sounds great. We'll take some **cans of beer** and a **bottle of wine.**
A: Terrific. See you on Friday, then!
B: See you Annie... and thanks for the invitation.

Bill: ¿Hola?
Annie: Hola, Bill. Habla Annie. Oye, mi prima Meg viene de Seattle.¿Les gustaría a ti y a Luis venir a cenar el viernes?
B: Suena muy bien. Llevaremos unas **latas de cerveza** y una **botella de vino**.
A: Fantástico. ¡Entonces nos vemos el viernes!
B: Nos vemos Annie... y gracias por la invitación.

2 Usemos el idioma

a. Cuando **pides un producto** en una tienda, puedes decir:

I'd like to take	Me gustaría llevar (frase amable)
I'll take ...	Llevaré .... (frase neutral)
I want a ...	Quiero un/una ...(frase correcta pero menos amable)

b. Fíjate las **diferentes maneras en que puedes comprar algunos productos:**

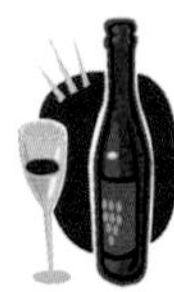

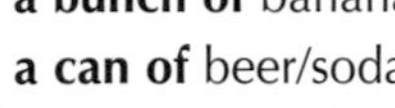

a bag of lemons/oranges	**una bolsa de** limones/naranjas
a bottle of wine/shampoo	**una botella de** vino/shampoo
a box of tea bags/cereal	**una caja de** té en saquitos/cereales
a bunch of bananas/grapes	**un racimo** de bananas/uvas
a can of beer/soda	**una lata de** cerveza/refrescos
a carton of milk/juice	**un cartón de** leche/jugo
a dozen eggs	**una docena de** huevos
a head of lettuce	**una planta de** lechuga
a jar of jam/pickles	**un frasco de** mermelada/pickles
a loaf of bread	**una pieza de** pan
a piece of cheese	**una porción de** queso
a tube of toothpaste	**un tubo de** pasta dental

c. Estudiemos cómo se dicen algunos **alimentos.** Escucha la pronunciación en el CD.

Meat (Carne)
Beef (carne de res)
Chicken (pollo)
Lamb (cordero)
Pork (cerdo)
Fish (pescado)

Fruit (Frutas)
Apple (manzana)
Banana (plátano)
Mango (mango)
Orange (naranja)
Strawberry (fresa)
Pineapple (piña)
Lemon (limón)
Grape (uva)

Otros alimentos
Milk (leche)
Butter (mantequilla)
Cheese (queso)
Yoghurt (yogur)
Cream (crema)
Pasta (pasta)
Rice (arroz)
Egg (huevo)
Flour (harina)
Corn (maíz)

Vegetables (Verduras)
Lettuce (lechuga)
Carrot (zanahoria)
Pea (arveja)
Pepper (pimiento)
Tomato (tomate)
Potato (papa)
Cucumber (pepino)
Onion (cebolla)

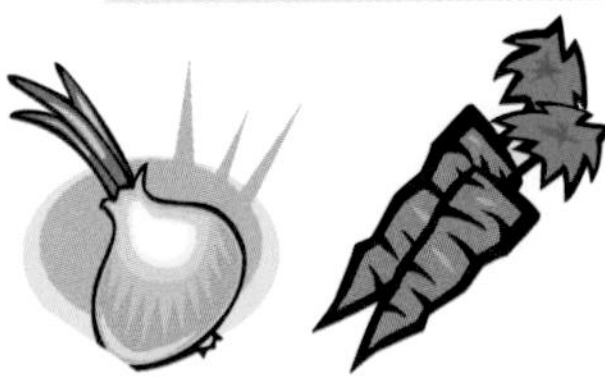

3 Estudiemos la gramática

a. Los sustantivos que se refieren, por lo general, a **objetos que pueden contarse por unidad** se llaman **"Countable nouns"** (Sustantivos contables). **Tienen singular y plural.**

An **egg**	un **huevo**	six **eggs**	seis **huevos**
A **tomato**	un **tomate**	ten **tomatoes**	diez **tomates**
A **carrot**	una **zanahoria**	four **carrots**	cuatro **zanahorias**
A **package**	un **paquete**	two **packages**	dos **paquetes**
A **box**	una **caja**	thirty **boxes**	treinta **cajas**
A **car**	un **automóvil**	five **cars**	cinco **automóviles**

b. Los sustantivos que se refieren por lo general a **sustancias, ya sean líquidas, sólidas o gaseosas**, que **no se cuentan por unidad**, se llaman **"Uncountable nouns"** (Sustantivos Incontables). Se usan sólo en singular. Muchos se refieren a alimentos:

Tea	Rice	Bread (pan)
Milk	Butter	Oil (aceite)
Water	Cream	Salt (sal)
Coffee	Flour	Sugar (azúcar)

y a otras cosas también:

Gasoline (gasolina)   Air (aire)   Money (dinero)   Sand (arena)

Para **expresar una cantidad definida** con los **"uncountable nouns"**, puedes usar estas frases:

a piece of: una porción de	a piece of cheese
a glass of: un vaso de	a glass of wine/water/milk
a cup of: una taza de	a cup of coffee/tea
a bottle of: una botella de	a bottle of oil/wine/shampoo

c. Para expresar una cantidad indefinida, se usa **"some"** (algo de-algunos/as) o **"any"** (algo de-algunos/as), tanto con los **"countable nouns"** como con los **"uncountable nouns"**:

Some se usa en oraciones afirmativas:

There is **some** coffee	Hay **algo** de café
There are **some** oranges	Hay **algunas** naranjas

Se puede usar **some** para hacer **preguntas** solamente **cuando se pide o se ofrece algo:**

Can I have **some** sugar, please?	¿Puede darme **algo** de azúcar, por favor? (Sé que hay azúcar, por eso la pido)
Would you like **some** apples?	¿Gustarías **algunas** manzanas? (Las estoy ofreciendo)

Any se usa en oraciones **negativas**. Se traduce como "nada de" o no se traduce.

There isn't **any** toothpaste	No hay **nada de** pasta dental
There isn't **any** money	No hay dinero
I don't have **any** onions	No tengo cebollas
There aren´t **any** oranges	No hay **nada de** naranjas

También se usa **en oraciones interrogativas**. Se traduce como "algo de" o no se traduce.

Is there **any** bread?	¿Hay **algo** de pan?
Is there **any** sugar?	¿Hay **algo** de azúcar?

d. Para **preguntar por cantidad** debe usarse:

How much para **uncountable nouns** **How many** para **countable nouns**

How much rice is there?	**¿Cuánto** arroz hay?
How much salt would you like?	**¿Cuánta** sal te gustaría?

How many bottles are there?	**¿Cuántas** botellas hay?
How many carrots do you need?	**¿Cuántas** zanahorias necesitas?

Recuerda	
Countable	**Uncountable**
A/ an	-
Plural	-
Some	Some
Any	Any

e. Cuando tomas una decisión en el mismo momento en que estás hablando, puedes expresarla usando el auxiliar **will**, junto con **I** o **we**. Se usan las **contracciones I´ll/ we´ll:**

The telephone is ringing. **I'll** answer it.	El teléfono está sonando. Lo **contestaré.**
There aren´t any carrots. **I'll** buy some.	No hay zanahorias. **Compraré** algunas.
We have few eggs. **We'll** take a dozen.	Tenemos pocos huevos. **Llevaremos** una docena.
We´ll take some cans of beer.	**Llevaremos** unas latas de cerveza.

4 Ejercicios para practicar lo que aprendimos

Las respuestas escritas (Key) están al pie de cada página

a. Completa con ***a***, ***an***, o ***some:***

Ej: ***a*** banana

Some coffee

1.....................tomato

2.....................cup of tea

3.....................bread

4.....................egg

5.....................juice

6.....................rice

7.....................bottle of milk

8.....................bag of potatoes

9.....................tea

10.....................onion

b. Completar con **much** o **many:**

Ej: How ***much*** sugar do you want?

How ***many*** bottles are there?

1. How ....money does Luis have? (......)
2. How ....oranges are there in this bag? (......)
3. How ....eggs are there? (......)
4. How ....sugar are you buying? (......)
5. How ....cups of coffee does Bill have for breakfast? (......)

Elige en el recuadro la respuesta correcta para las preguntas y coloca la letra correspondiente entre paréntesis.

a. A dozen b. Two c.There aren't any d. Five dollars e. Only a package

c. Usa **some** o **any**

Ej: Is there ***any*** milk?

1. There isn't ....sugar.
2. I don't eat ....vegetables, only ....green salad.
3. Do you like ....mayonnaise in your sandwich?
4. I love cheese. Can I take ....?
5. There isn´t ....shaving lotion.

4a. 1 a 2 a 3 some 4 an 5 some 6 some 7 a 8 a 9 some 10 an
4b. 1 much 2 many 3 many 4 much 5 many
4c. a. 3 / b. 5 / c. 2 / d. 1 / e. 4 4c. 1 any 2 any / some 3 any 4 some 5 any

d. Escucha el CD y elige las preguntas del recuadro para completar el siguiente diálogo.

a. What about toothpaste? Is there any?	**c. O.K. Do we have any sugar?**
b. Is there any milk?	**d. Are there any cans of beer?**

Luis: We need many things from the supermarket. Let's make a shopping list.

Bill: (1)..?

L: No, we don't have any.

B: (2) ....?

L: There's some but there isn't any butter.

B: (3)..?

L: Two cans.

B: (4)..?

L: No, there isn't and there isn't any shaving lotion.

e. Une las palabras de la columna izquierda con las correspondientes de la columna derecha:

1. a tube of	a. bananas
2. a loaf of	b. cereal
3. a jar of	c. toothpaste
4. a head of	d. jam
5. a bunch of	e. bread
6. a box of	f. lettuce

f. Responde con la decisión inmediata que corresponda. Usa I´ll /we´ll + una respuesta

a ~~**I´ll get some**~~ b **I´ll answer it** c **We´ll take some beer**
d **I´ll get some more** e **I´ll buy two bottles**

1. I don´t have any onions ......I'll get some......
2. There isn´t any wine ....
3. Annie invited us to a party ....
4. I have a little ice cream ....
5. The phone is ringing ....

4d. 1 c 2 b 3 d 4 a
4e. 2 e 3 d 4 f 5 a 6 b
4f. 2 e 3 c 4 d 5 b

Unit 14 At the supermarket / En el supermercado

Lesson 14

1 Escuchemos el CD

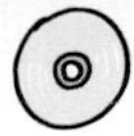

Cada vez que aparezca este ícono puedes escuchar el CD

Bill va al supermercado y se encuentra casualmente con Annie que está haciendo las compras para la cena del viernes por la noche.

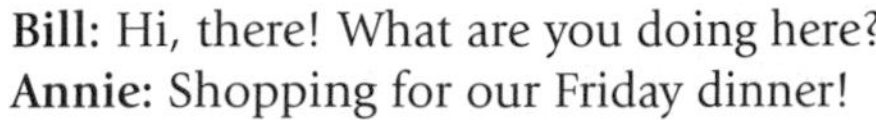

Bill: Hi, there! What are you doing here?
Annie: Shopping for our Friday dinner!

B: Fine. I have to buy **many** things, too.

A: I don´t have **any** vegetables. I have to buy peas, carrots and potatoes.

B: I also need **some** vegetables. Let´s go.

A: **What else?** Oh, yes, I need **some** tomatoes, onions and a few peppers. And a couple of avocados… I'll prepare guacamole for Luis.
B: Sounds good. **How about buying some** ice cream for Friday? Do you like vanilla and chocolate mint?

A: Yes, I love it.
B: And…I need to buy **some** eggs.

A: Oh, I almost forgot to buy **something** to drink. And, …do you need **anything** from the toiletries?
B: Yes, I need **some** toothpaste and shaving lotion, too.
A: How strange! There isn´t **any** toothpaste. Let's ask **someone**.
B: No, look! There is one tube on that shelf.
A: Great. Do you need **anything else**?
B: No, that's fine with me. Look, there isn't **anyone** in that line.

Bill: ¡Hola! ¿Qué haces por aquí?
Annie: ¡Las compras para la cena del viernes!

B: Bien. Yo tengo que comprar **muchas** cosas también.

A: No tengo **nada** de verduras. Tengo que comprar arvejas, zanahorias y papas.

B: Yo también necesito **algunas** verduras. Vamos.

A: **¿Qué más?** Ah, sí, necesito **algunos** tomates, cebollas y unos pimientos. Y un par de aguacates ... prepararé guacamole para Luis.
B: Suena bien. **¿Qué te parece si compramos algo de** helado para el viernes? ¿Te gusta de vainilla y menta chocolatada?
A: Sí, me encanta.
B: Y... necesito comprar **algunos** huevos.

A: Ah, casi me olvido de comprar **algo** para beber. Y, ...¿necesitas **algo** del sector de artículos de tocador?
B: Sí, necesito pasta dental y crema para afeitar también.
A: ¡Qué raro! No hay pasta dental. Preguntémosle a **alguien**.
B: No, mira. Hay un tubo en ese estante.

A: Muy bien. ¿Necesitas **algo más?**
B: No. Ya está bien para mí. Mira, no hay **nadie** en aquella fila.

2 Usemos el idioma

a. Cuando **se ofrece, se invita o se propone algo** se puede formular esta pregunta:

How about ...?	¿Qué te parece... ? ¿Qué tal si...?
How about this shampoo?	¿Qué te parece este shampoo?
getting some more ice cream?	¿Qué tal si compramos más helado?
preparing *guacamole*?	¿Qué tal si preparamos guacamole?
buying a few toiletries?	¿Qué tal si compramos algunos artículos de tocador?

b. Para **expresar sorpresa**, se puede combinar **How + un adjetivo:**

How	strange!	¡Qué	extraño!
	interesting!		interesante!
	terrible!		terrible!
	incredible!		increíble!
	nice!		bonito!

There isn´t any toothpaste.	How strange!
This is my new apartment.	How nice!
I'm a graphic designer	How interesting!
I don´t have any money.	How terrible!

3 Estudiemos la gramática

a. Para **expresar que hay mucha cantidad** de algo se usa **a lot of** (un montón de) tanto para sustantivos contables como para incontables.

a lot of	oranges/cucumbers/apples/carrots
a lot of	toothpaste/ shaving lotion/ wine/ money

Otras palabras para expresar cantidad con **uncountable nouns** son:

Much (mucho/a) **a little** (algo de /un poco) **little** (poco)

There isn't **much** shampoo.	No hay **mucho** shampoo.
I have a **little** toothpaste.	Tengo **un poco** de pasta dental.
She has **little** money.	Ella tiene **poco** dinero.

Y para expresar cantidad con **countable nouns** deberás usar:

Many (mucho/as) **a few** (algunos/as un poco) **few** (pocos/as)

There aren't **many** apples.	No hay **muchas** manzanas.
I have **a few** potatoes.	Tengo **algunas** papas.
There are **few** bottles of wine.	Hay **pocas** botellas de vino.

Recuerda

Countable	Uncountable
A lot of	A lot of
Many	Much
A few	A little
Few	Little

Veamos otros ejemplos:

Countable nouns	Uncontable nouns
There are many wine bottles on the shelf.	There isn't much shampoo in the bottle.
There are a few chocolate bars on the table.	There is a little juice in the jug.
There are a lot of oranges in the fridge.	Thre is little money in my bag.
There are few people at the movies.	The coffee has a lot of sugar.

b. Cuando **no se puede precisar o nombrar un objeto,** las palabras que se usan son: **something** (algo) y **anything** (nada o algo)

Debes usar **something** para **afirmar:**

I have **something** in my bag	Tengo **algo** en mi bolso
She needs **something** from the drugstore	Ella **necesita** algo de la farmacia
He is buying **something** at the market	Él está comprando **algo** en el mercado
They bought **something** at the store	Ellos compraron **algo** en la tienda

Y usarás **anything** para **negar** o **preguntar**:

There isn't **anything** in my bag	No hay **nada** en mi bolso
She didn't buy **anything** at the store	Ella no compró **nada** en la tienda
Do you need **anything** from the supermarket?	¿Necesitas **algo** del supermercado?
Did you buy **anything** for dinner?	¿Compraste **algo** para la cena?

c. De la misma forma se usa **someone** o **anyone** para referirse a una persona:
Debe usarse **someone** (alguien) para afirmar:

Bill talked to **someone**	Bill habló con **alguien**
Someone is talking	**Alguien** está hablando

Y usarás **anyone** (nadie) para negar o preguntar:

I can't see **anyone** at the toiletries
No veo **a nadie** en el sector de artículos de tocador

There isn't **anyone** here
No hay **nadie** aquí

Is there **anyone** buying shaving lotion?
¿Hay **alguien** comprando crema para afeitar?

Did Luis phone **anyone** this morning?
¿Telefoneó a **alguien** Luis por la mañana?

4 Ejercicios para practicar lo que aprendimos

Las respuestas escritas (Key) están al pie de cada página

a. Escribir las palabras enmarcadas debajo de la columna adecuada:

toothpaste soap shaving lotion wine apples shampoo
coffee tomatoes bottles of milk money oil peas

1 **much**	2 **many**	3 **a little**	4 **a few**
....	....	....	....
....	....	....	....
....	....	....	....
....	....	....	....

b. Reemplaza la palabra en negrita por **something / anything / someone / anyone**

1. I don't see **a customer** at the entrance of the store.
2. There is **toothpaste** on that shelf.
3. Is there a **man** waiting at the door?
4. Can you see **a bottle of shampoo** there?
5. I don´t need **tomatoes.**
6. I have **vegetables** for the salad.

c. Escribe las siguientes oraciones en afirmativo. Usa **"some-a little-little-a few-few"**

1. There isn't any sugar ....
2. I haven't any pineapples ....
3. There aren't many bottles of shampoo ....
4. I don't see any soap on the shelf ....
5. I don´t need any fruit ....
6. There aren´t many carrots ....

4a 1 much: toothpaste/ shaving lotion/ shampoo/ coffee/ money/oil/wine 2 many: apples / tomatoes / peas / bottles of milk
3 a little: toothpaste / shaving lotion / wine / coffee / shampoo/money/oil 4 a few: apples / tomatoes / peas / bottles of milk
4b 1: anyone 2: something 3: anyone 4: anything 5:anything 6: something 4c 1 There is some sugar / 2 I have some pineapples / 3 There are some/ a few bottles of shampoo / 4 I see a little/some soap on the shelf 5. I need some fruit 6. There are some / a few carrots

d. Escucha el CD para completar la lista del supermercado: 

e. Elige la respuesta **a** o **b**.

Ej: How much beer do we need?

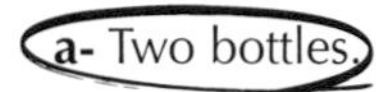

b- Two bunches.

1.How many eggs did you buy?

a- A dozen

b- We need a dozen

2. Do you need anything from the supermarket?

a- I have fruit and vegetables.

b- Yes, some vegetables.

3. How can I help you?

a- I´d like some apples, please.

b- I don´t have any apples

4. How much rice do you need?

a- Just a few

b- Just a little

5. Is there any yoghurt?

a- Yes there´s many

b- Yes, there´s a lot

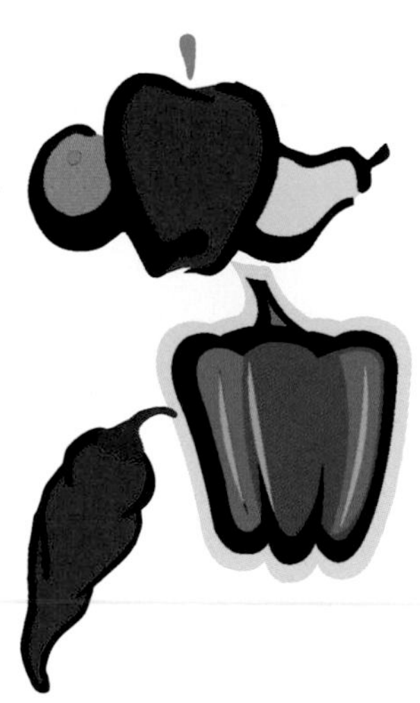

4d. 2 cartons of milk / 3 orange juice 4 bottles of shampoo /5 soap / 6 toothpaste. Transcripción: I have a lot of onions but there aren't any tomatoes. And I need a carton of milk, and some orange juice ... no grape juice. There is a lot. Oh! I also need some toiletries. Let's see ... a bottle of shampoo, some soap, ... I don´t need shaving lotion, but I need some toothpaste.Now, let's go out.
4e. 1a 2b 3a 4b 5b

Unit 15 First day on the job / Primer día en el trabajo

Lesson 15

1 Escuchemos el CD

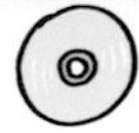

Cada vez que aparezca este ícono puedes escuchar el CD

Luis llega al Hotel High Hills en su primer día de trabajo y Brenda le muestra el hotel.

(Luis knocks on the door of Brenda's office.)

Brenda: Oh, hello, Luis! Come in, please. Welcome to the High Hills Hotel. Let me show you a plan of the hotel. We´re **here**, **on** the **second floor**, this is the **hotel administration**. The hotel has twenty floors. There´s a **swimming pool** and a **gym** on the **twentieth floor**, and there are **restaurants** and **bars** on the nineteenth floor. The **guest rooms** are **from the fourth** to the **eighteenth** floor. There are **conference rooms** on the **third** floor. Now we´ll go to the **lobby** and I´ll show you the front desk.

(At the front desk)

B: Here is your phone and your **computer**. The **printer´s right here**, **behind** your desk, and the **fax machine** is **over there**. There´s a **photocopier right there**, and a **scanner in front of** the fax machine.

Luis: And where´s the paper?

B: The copy paper is **up here**, and the stationery is **down there**, you know, **pens, pencils, staplers, envelopes, paper clips**.

L: Well, I hope I can remember everything!

B: Don´t worry. You can ask George, the other front desk clerk. I´ll introduce him to you.

L: O.K. Thanks a lot!

(Luis golpea a la puerta de la oficina de Brenda.)

Brenda: ¡Ah, hola, Luis! Pasa, por favor. Bienvenido al Hotel High Hills. Permíteme mostrarte un plano del hotel. Nosotros estamos **aquí**, en el **segundo piso**, esta es la **administración del hotel**. El hotel tiene veinte pisos. Hay una **piscina** y un **gimnasio** en el **vigésimo piso**, y hay **restaurantes** y **bares** en el **decimonoveno piso**. Las **habitaciones de los huéspedes** están desde el **cuarto** piso hasta el **decimoctavo**. Hay **salas de conferencia** en el **tercer** piso. Ahora iremos al **lobby** y te mostraré el **escritorio de la recepción**.

(En la recepción)

B: Aquí está tu teléfono y tu **computadora**. La **impresora** está **aquí mismo**, **detrás** de tu escritorio y el **fax** está **por allá**. Hay una **fotocopiadora aquí**, y un **escáner delante** del fax.

Luis: ¿Y dónde está el papel?

B: El **papel para las copias** está **aquí arriba** y los **artículos de oficina** están **allá abajo**, tú sabes, **bolígrafos, lápices, engrapadoras, sobres, clips.**

L: ¡Bien, espero recordar todo!

B: No te preocupes, puedes preguntarle a George, el otro recepcionista. Te lo presentaré.

L: Muy bien. ¡Muchas gracias!

2 Usemos el idioma

a. Ordinal numbers/ Los números ordinales del 1° al 31°.
Escucha la pronunciación en el CD.

1st	first	primero/a
2nd	second	segundo/a
3rd	third	tercero/a

4th	**fourth** (cuarto)	12th	**twelfth** (duodécimo)
5th	**fifth** (quinto)	13th	**thirteenth** (decimotercero)
6th	**sixth** (sexto)	14th	**fourteenth** (decimocuarto)
7th	**seventh** (séptimo)	15th	**fifteenth** (decimoquinto)
8th	**eighth** (octavo)	16th	**sixteenth** (decimosexto)
9th	**ninth** (noveno)	17th	**seventeenth** (decimoséptimo)
10th	**tenth** (décimo)	18th	**eighteenth** (decimoctavo)
11th	**eleventh** (undécimo)	19th	**nineteenth** (decimonoveno)
		20th	**twentieth** (vigésimo)

En los números compuestos, el número ordinal se coloca al final:

21st	twenty-**first** (vigésimo primero/a)	26th	twenty-**sixth**
22nd	twenty-**second**	27th	twenty-**seventh**
23rd	twenty-**third**	28th	twenty-**eighth**
24th	twenty-**fourth**	29th	twenty-**ninth**
25th	twenty-**fifth**	30th	**thirtieth** (trigésimo)
		31st	thirty-**first**

Se usan para → **indicar el orden en que algo sucede o está ubicado:**
This is my **first** trip to the U.S.A Este es mi **primer** viaje a los EE.UU
My house is the **third** on the left Mi casa es la **tercera** a la izquierda

→ **decir las fechas:**
My birthday is on October **27th** Mi cumpleaños es el **27** de octubre

→ **indicar los pisos de un edificio:**
I live on the **fourteenth** floor Vivo en el **decimocuarto** piso

b. At a hotel/ En un hotel:

hotel administration: administración
lobby: lobby
front desk: recepción
coffee store: cafetería
bar: bar
gift store: tienda de regalos
swimming pool: piscina
conference room: salón de conferencias
restaurant: restaurante
gym: gimnasio

c. Work tools / Herramientas de trabajo:

computer: computadora
printer: impresora
fax machine: fax
photocopier: fotocopiadora
copy paper: papel para copias
eraser: goma
stationery: artículos de oficina
pen: bolígrafo
pencil: lápiz
stapler: engrapadora
clip: clip

3 Estudiemos la gramática

a. Estudiemos las siguientes preposiciones que indican posición:

in front of (delante de)
above (arriba de)
on (sobre)
across from (enfrente de)
to the right: (hacia la derecha)
behind (detrás de)
below (debajo de)
under (debajo de)
next to (al lado de)
to the left: (hacia la izquierda)

The printer is **in front** of the scanner. La impresora está **delante de**l escáner.
The photocopier is **behind** the fax machine. La fotocopiadora está **detrás de**l fax.
The conference room is **above** the lobby. El salón de conferencias está a**rriba de**l lobby.
It´s 35 degrees **below** zero. Hace 35 grados **bajo** cero.
The computer is **on** a desk. La computadora está **sobre** el escritorio.
My pen is **under** the desk. El bolígrafo está **debajo de**l escritorio.

b. Los adverbios de lugar **here** (aquí, acá) y **there** (allí, allá):

Here se usa para indicar algo que está ubicado **cerca de la persona que habla:**

The printer is **here.**	La impresora está **aquí.**
Is there a hotel near **here**?	¿Hay un hotel cerca de **aquí?**

There se usa para indicar algo que está **alejado de la persona que habla:**

The photocopier is **there**, next to the scanner.
La fotocopiadora está **allí,** al lado del escáner.

The restaurant is **there,** near the gift store.
El restaurante está **allá**, cerca de la tienda de regalos.

Muchas veces estos adverbios se combinan con otras palabras:

The printer is right **here**	La impresora está **aquí mismo**
there	**allá mismo**
The fax machine is over **here**	La máquina de fax está **por aquí**
there	**allá**
The stationery is **up there**	Los artículos de oficina están **allá arriba**
down here	**aquí abajo**

4 Ejercicios para practicar lo que aprendimos

Las respuestas escritas (Key) están al pie de cada página

a. Completa los espacios en blanco con la respuesta adecuada usando un número ordinal:

1. "B" is the.............. letter of the alphabet.
2. Thursday is the .... day of the week.
3. March is the .... month of the year.
4. "J" is the .... letter of the alphabet.
5. "o" is the .... letter in "yellow".
6. My .... name is María.

4a. 1 second 2 fourth 3 third 4 tenth 5 fifth 6 first

b. Escribe los siguientes números ordinales en letras:

1. 5th ....
2. 9th ....
3. 12th ....
4. 8th ....
5. 20th ....
6. 21st ....
7. 22nd ....
8. 30th ....

c. Completa con las letras que falten para formar las palabras que nombran elementos necesarios en una oficina. Tienes algunas letras que te ayudan:

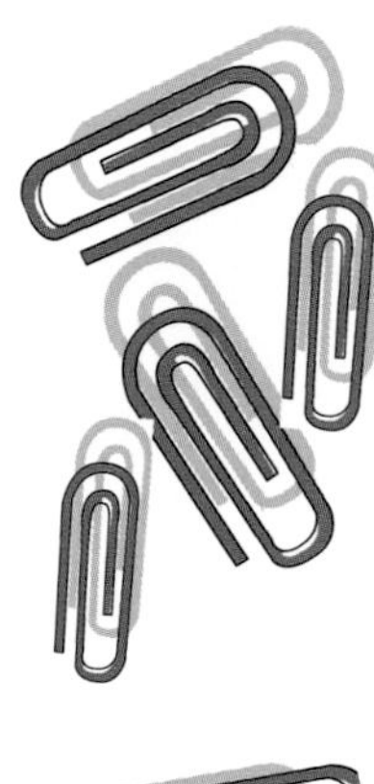

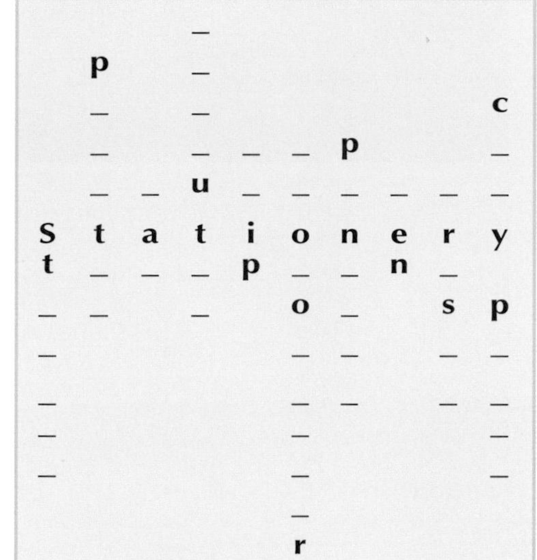

d. Escucha el diálogo en el CD y completa los espacios en blanco:

A: Well, Jack, this is your office. Your (1).............. is (2) ....

J: And the (3) ....?

A: It´s (4) .... The scanner is (5)...... .... the fax machine.

J: And the copy paper?

A: Oh, it´s (6) ...., and the stationery is (7) ....

J: Is there a (8) ....?

A: Yes, it´s (9) .... the printer.

4b. 1 fifth 2 ninth 3 twelfth 4 eigth 5 twentieth 6 twenty-first 7 twenty-second 8 thirtieth
4c. de izq. a der: stapler-printer-fax-computer-clip-photocopier-pencil-pen-eraser-copy paper
4d. 1 computer 2 right here 3 printer 4 over there. 5 in front of 6 up there 7. down here 8 photocopier 9 behind

e. Fíjate en la ubicación de estas personas alrededor de la mesa y completa con las preposiciones adecuadas.

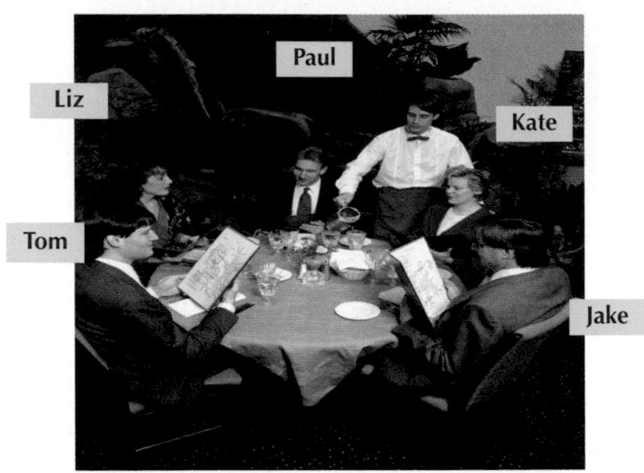

1. Tom is sitting .... Kate
2. Paul is sitting .... Liz
3. Kate is sitting .... of Jake
4. Tom is sitting .... of Jake
5. Liz is sitting .... Jake
6. Kate is sitting .... Paul.

f. Completa con una preposición del recuadro:

next to under in front of above behind on

1. My book is .... the desk
2. Her shoes are .... the bed
3. His apartment is .... a restaurant.
4. The teacher is .... the class
5. The fax machine is .... my desk
6. My house is .... the post office

4e. 1 across from 2 next to 3 to the right 4 to the left 5 across from 6 next to
4f. 1 on 2 under 3 above 4 in front of 5 behind 6 next to

Unit16 Hotel reservations / Reservas de hotel

Lesson 16

1 Escuchemos el CD

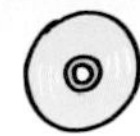

Cada vez que aparezca este ícono puedes escuchar el CD

Luis registra a su primer huésped y responde a sus preguntas.

Guest: Good morning, I want to check in, please.
Luis: Good morning, **sir**. Do you have a reservation?
G: Yes, my name´s John Anderson, I have a reservation for a single room.
L: Just a moment, please…yes, that´s right, Mr. Anderson. A single room, **February 20th through February 24th**. How are you paying?
G: With credit card. Here you are
L: Thank you. **Would** you complete the guest registration card?
G: Sure ….There you are.
L: Thank you, sir. Here´s your room key. The bell boy will take your baggage to your room.
G: Thank you. Where are the elevators?
L: **Go across** the lobby and to the left. The elevators are **next to** the gift store.
G: And how do I get to the swimming pool?
L: Take the elevator **up to** the 20th floor. When you **come out of** the elevator, **go across** the hall, and turn left. **Go along** the corridor, **past** the gym, and you´ll see a small escalator on your right. **Go up** the escalator and there´s the pool.
G: Thank you very much.
L: You´re welcome. **Enjoy your stay with us.**

Huésped: Buenos días, quiero registrarme, por favor.
Luis: Buenos días, **señor**. ¿Tiene una reserva?
H: Sí, mi nombre es John Anderson. Tengo una reserva para una habitación simple.
L: Un momento, por favor, …sí, así es, Mr. Anderson. Una habitación simple desde el **20 de febrero** hasta el **24 de febrero.** ¿Cómo va a pagar?
H: Con tarjeta de crédito. Aquí tiene.
L: Gracias. Podría completar la tarjeta de registro?
H: Seguro...Aquí tiene.
L: Gracias, **señor**. Aquí tiene la llave de su habitación. El botones llevará su equipaje a su habitación.
H: Gracias. ¿Dónde están los ascensores?
L: **Cruce** el lobby y vaya a la izquierda. Los ascensores están **al lado de** la tienda de regalos.
H: ¿Y cómo llego a la piscina?
L: Tome el ascensor **hacia arriba hasta** el piso 20. Cuando **sale** del ascensor, **cruce** el hall y **doble** a la izquierda. **Vaya** por el pasillo, **pase por delante** del gimnasio y verá una pequeña escalera mecánica a su derecha. **Suba** por la escalera y allí está la piscina.
H: Muchísimas gracias.
L: No hay de qué. **Disfrute su estadía con nosotros.**

2 Usemos el idioma

a. Cuando **queremos dirigirnos respetuosamente hacia un hombre o una mujer**, se usa **sir** (señor) o **madam** (señora):

Good morning, **sir**.	Buenos días, **señor.**
Good afternoon, **madam.**	Buenas tardes, **señora**.
m**a'am** (abreviado)	

b. Para **pedirle a alguien que haga algo,** se pueden usar estos auxiliares:

would (más formal) **will** (más informal)

Would you complete the guest registration card?	**¿Completaría** la tarjeta de registro?
Would you sign here?	**¿Firmaría** aquí?
Would you wait for a few minutes?	**¿Esperaría** unos minutos?
Will you follow me, please?	**¿Me sigue,** por favor?
Will you answer the phone?	**¿Contestarías** el teléfono?
Will you call her, please?	**¿La llamarías**, por favor?

c. Dates/ Las fechas:
Se usan siempre los **números ordinales.** Puedes escribir:

November 6th o November 6

January 20th o January 20

Si lo escribes en números, recuerda que el orden es **mes + día:**

November 6 11/6 January 20 1/20

Y leerás:

November sixth January twentieth

d. Para desear una buena estadía, se puede decir:

Enjoy your stay with us. **Disfrute su estadía con nosotros.**

3 Estudiemos la gramática

a. Preposiciones que **indican movimiento:**

across	**a lo ancho**
into	**adentro**
from	**desde**
up	**arriba**
past	**por delante de**
along	**a lo largo**
out of	**afuera**
to	**hacia**
down	**abajo**

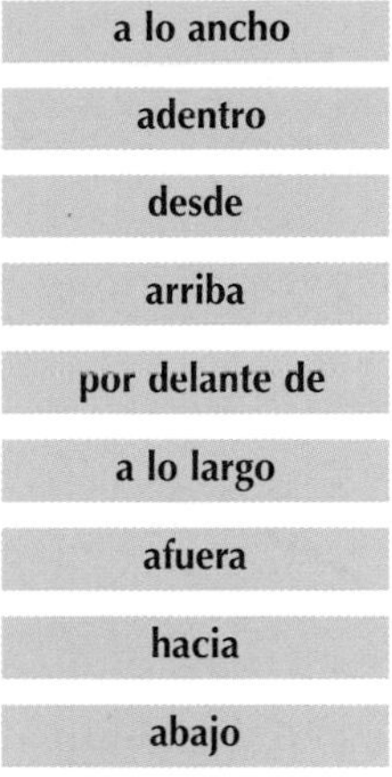

b. Estas preposiciones se usan generalmente con verbos que indican movimiento, por ejemplo:

Go (ir)

I have to **go to** the supermarket.	Tengo que **ir al** supermercado.
Go across the hall.	**Cruce** el salón.
Go past the gym.	Pase **por delante** del gimnasio.
She´s **going up** the escalator.	Ella está **subiendo** por la escalera mecánica.
He´s **going into** the hotel.	Él está **entrando** en el hotel.
We **went out** of the room.	Nosotros **salimos** de la habitación.
Are you **going along** Folsom St?	¿Estás **yendo por** la calle Folsom?
Go up to the 2nd floor.	**Suba hasta** el 2° piso.

Walk (caminar)

They were **walking to** the station	Ellos estaban **caminando hacia** la estación.
I **walked past** the drugstore.	**Pasé caminando** por delante de la farmacia.
Walk across the park.	**Cruza** el parque.
I love **walking along** the river.	Me encanta **caminar a lo largo** del río.
We **walked out** of the room.	**Salimos del** cuarto.
They **walked into** the hotel.	**Entraron al** hotel.

Drive (conducir)

He **drove from** his house **to** the station.	**El condujo desde** su casa **hasta** la estación.
I **was driving along** Geary St.	Estaba **conduciendo a lo largo** de la calle Geary.

Swim (nadar)

He **swam across** the river.	El **nadó a lo ancho** del río.

Travel (viajar)

He´s **traveling to** Puerto Rico.	Él está **viajando a** Puerto Rico.
They **traveled from** Miami **to** Naples.	Ellos **viajaron desde** Miami hasta Naples.

Run (correr)

She **runs up** the hill twice a week.	Ella **sube corriendo** la colina dos veces por semana.
They **ran out** of the room.	Ellos **salieron corriendo** de la habitación.

4 Ejercicios para practicar lo que aprendimos

Las respuestas escritas (Key) están al pie de cada página

a. Escribe la fecha que corresponda al lado de las referencias. Escribe la fecha con letras y luego con números como en el ejemplo:

1. Christmas Day (*Navidad*) December 25 12/25
2. New Year´s Day (*Año Nuevo*) ....
3. U.S Independence Day (*Independencia de EE.UU*) ....
4. Valentine´s Day (*Día de los Enamorados)* ....
5. Halloween (*Noche de Brujas*) ....
6. Beginning of summer (*Comienzo del verano*) ....
7. Beginning of winter (*Comienzo del invierno*) ....

b. Escucha los diálogos y completa con las preposiciones que correspondan:

1- A: Excuse me, where are the swimming pool elevators?

B: Go (1) .... the corridor to the left. They are (2) ....the gym.

2- A: How do I get to the restaurant?

B: Go (1) .... the lobby and take the elevator (2)......... ....the 15th floor.

3- A: Excuse me, where´s the gym?

B: Take the elevator (1)......... the 10th floor. When you come (2)......... .... the elevator, go (3...... .... The gym is (4)........... .... the swimming pool.

4. A: How do I get to the gift stores?

B: Go (1) .... the lobby, (2)........... the elevators and turn (3)............

5. A: Where´s the conference room?

B: Take the elevators (1)......... ....the 2nd floor. Go (2) .... the corridor (3) .... You´ll see some escalators.

Go (4)......... the escalators and you´ll see the conference room 5) .... you.

4a. 2 December 31st 12/31 3. July 4 th 7/4 4. February 14 th 2/14 5. October 31st 10/31
6. June 21st 6/21 7. December 21st 12/21 4b. 1 (1) along (2) next to 2 (1) across (2) up to 3 (1)to (2) out of (3) to
your left (4) across from 4 (1) across (2) past (3) right 5 (1) up to (2) along (3) to your right (4) up (5) in front of

c. Une las oraciones de la izquierda con la mitad correspondiente de la derecha:

1. He´s swimming	a. from Argentina
2. I have to go	b. into the hotel
3. She comes	c. out of the building
4. They walked	d. to the supermarket
5. I was driving	e. across the river
6. We ran	f. along the street

d. Combina cada uno de estos verbos con dos frases adecuadas que encuentres en el recuadro.

a.to the movies b. along the street c. across the park d. out of the elevator e. past the post office f. up the escalator g. from Canada h. into the room i. down the hill j. to the station

Go ....

....

Drive ....

....

Walk ....

....

Run ....

....

Come ....

....

4c. 1-e 2-d 3-a 4-b 5-f 6-c
4d. Go: a-f drive: e-b walk: h-j run:c-i come:d-g

Unit 17 The car dealer/ El vendedor de autos

Lesson 17

1 Escuchemos el CD

Cada vez que aparezca este ícono puedes escuchar el CD

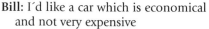

Bill quiere comprar un automóvil y va a una agencia de automóviles usados.

Bill: I´d like a car which is economical and not very expensive
Salesperson: There are many good cars. I could show you this one, for example.

B: What make is it?
S: This is a Honda. It´s a great car.

B: What model is it?
S: It´s a 2000 Civic, and it´s in excellent condition. And I can show you a Lexus IS 300 too. There´s a 2001 model that´s really good.

B: And what´s the difference between them?
S: A Honda **is as good as** a Lexus.It´s **less powerful** but it´s **more economical**, and the **trunk** space is **bigger.** The Lexus has a **bigger engine** so it´s **faster**, and is **more expensive** than the Honda. It´s **more popular** between young people like you! I sell a lot every day!

B: Yes, I guess... How much is the Honda?
S: This Honda is an **older** model, so it´s **less expensive than** that Lexus. It´s around $13,500.

B: And how can I pay for it?
S: Well, you can make a down payment of 20% of the total price, and the rest in monthly installments.
B: I see ... Can I take it for a test drive?

S: Sure, no problem! Once you get into this car, you will not want to get out of it!

Bill: Quisiera un auto que sea económico y no muy caro.
Vendedor: Hay muchos automóviles buenos. Puedo mostrarle éste, por ejemplo.
B: ¿Qué marca es?
V: Este es un Honda. Es un gran automóvil.
B: ¿Qué modelo es?
V: Es un Civic del año 2000 y está en excelentes condiciones. Y también puedo mostrarle un Lexus IS 300. Hay un modelo del 2001 que está realmente muy bien.
B: ¿Y cuál es la diferencia entre ellos?
V: Un Honda **es tan bueno** como un Lexus. Tiene **menos potencia** pero es **más económico** y el **maletero** es **más grande**. El Lexus tiene un motor **más grande** y por eso es **más rápido**, y es **más caro que** el Honda. ¡Es **más popular** entre la gente joven como usted! ¡Vendo un montón todos los días!
B: Sí, me imagino... ¿Cuánto cuesta el Honda?
V: Este Honda es un modelo **más viejo**, y por eso es **menos caro que** aquel Lexus. Cuesta aproximadamente US$13.500.
B: ¿Y cómo puedo pagarlo?
V: Bueno, usted puede hacer un anticipo del 20% del precio total y el resto en cuotas mensuales.
B: Entiendo... ¿Puedo dar una vuelta de prueba?
V: ¡Seguro, no hay problema! ¡Una vez que usted entre en este automóvil, no querrá salir de él!

2 Usemos el idioma

a. Para preguntar por **la marca** de un automóvil, dices:

What **make** is it? ¿Qué **marca** es?

b. Para saber el **modelo**:

What **model** is it? ¿Qué **modelo** es?

c. Numbers from 1000 to 1,000,000,000 /Los números del 1.000 a 1.000.000.000.
Escuchemos la pronunciación en el CD.

1000 a thousand /one thousand	10,000 ten thousand
1,200 a/one thousand two hundred	13,000 thirteen thousand
2,000 two thousand	50,000 fifty thousand
3,000 three thousand	100,000 a/one hundred thousand
4,000 four thousand	500,000 five hundred thousand
5,000 five thousand	1,000,000 a/one million
	1,000,000,000 a/one billion

1m :1 million 2bn: 2 billion

Para los norteamericanos **un billón** es equivalente a **mil millones.**
Los números para indicar cantidades o precios se separan con una coma 50,000 o ningún signo 50 000

d. The years/ Los años:
El año 2000 y sucesivos, se dice generalmente, de esta forma:

2000 two thousand 2004 two thousand and four

o puede también decirse:

2004 (20/ 04) twenty oh four 2010 (20/ 10) twenty ten

Los años de los siglos anteriores se dicen como si fueran dos números separados:

1999 (19/ 99) nineteen ninety-nine	1885 (18/ 85) eighteen eighty-five
1996 (19/ 96) nineteen ninety-six	1770 (17/ 70) seventeen seventy

d. **Money**/ El dinero:
La moneda norteamericana es el **dollar**: dólar

One dollar (un dólar): 100 cents (cien centavos)

Bills: billetes
$1 one dollar
$5 five dollars
$10 ten dollars
$20 twenty dollars
$50 fifty dollars
$100 a/one hundred dollars

Coins: monedas
1¢ (one penny) un centavo de dólar
5¢ (a nickel) cinco centavos de dólar
10¢ (a dime) diez centavos de dólar
25¢ (a quarter) veinticinco centavos de dólar

e. Prices / Los precios
Fíjate como se pueden leer los precios:

$2.25	two dollars twenty-five cents / two dollars twenty-five / two twenty-five
$45.89	forty-five dollars eighty-nine cents / forty-five dollars eighty-nine / forty-five eighty-nine

g. A car/ Un automóvil. Escuchemos el CD. 

steering wheel: volante
mirror: espejo
trunk: maletero
boot: capot
fender: paragolpes
door: puerta
wheel: rueda
headlight: luz
tire: goma

parking brake: freno de mano
accelerator: acelerador
radiator: radiador
brake: freno
battery: batería
clutch: embrague
gear box: caja de cambios
windscreen: parabrisas

3 Estudiemos la gramática

a. Comparisons / Las comparaciones:
Las palabras que se usan generalmente para hacer comparaciones son los adjetivos, que, como ya estudiamos, describen o dan características de un sustantivo que puede referirse a una persona, un lugar o una cosa.

a **tall** girl una muchacha **alta**
a **big** car un automóvil **grande**
adjetivo
a **small** house una casa **pequeña**

para hacer comparaciones fíjate en las siguientes reglas:

En los adjetivos cortos en general, se agrega **–er:**

tall**er**: **más** alta/o
bigg**er**: **más** grande
small**er**: **más** pequeña/o
nic**er**: **más** agradable
young**er**: **más** joven

En los adjetivos cortos que terminan en **y**, la **y** cambia por **i + er**:

pretty: prett**ier**	**más** bonita/o
friendl**y**: friendl**ier**	**más** amigable
eas**y**: eas**ier**	**más** fácil
heav**y**: heav**ier**	**más** pesado/a
earl**y**: earl**ier**	**más** temprano

En los adjetivos largos, se agrega more (más)/less (menos):

intelligent: **more** intelligent	**más** inteligente
beautiful: **less** beautiful	**menos** linda/o
expensive: **more** expensive	**más** caro/a
interesting: **less** interesting	**menos** interesante
important: **more** important	**más** importante

Cuando mencionamos las cosas, lugares o personas que comparamos, se agrega **than** (que), tanto con los adjetivos cortos como con los largos:

Bill is tall**er** **than** Luis.	Bill es **más** alto **que** Luis.
A Honda is **bigger than** a Lexus.	Un Honda es **más** grande **que** un Lexus.
English is easi**er** **than** Spanish.	El inglés es **más** fácil **que** el español.
A Lexus is **more** expensive **than** a Honda.	Un Lexus es **más** caro **que** un Honda.
This book is **less** interesting **than** the other.	Este libro es **menos** interesante **que** el otro.
Love is **more** important **than** money.	El amor es **más** importante **que** el dinero.

Algunos adjetivos cambian total o parcialmente al formar el comparativo:

good (bueno)	**better** (mejor)
bad (malo)	**worse** (peor)
far (lejos)	**farther** (más lejos)

My new house is **better than** the old one.	Mi nueva casa es **mejor que** la vieja.
This movie is **worse than** the other one.	Esta película es **peor que** la otra.
San Diego is **farther than** Los Angeles.	San Diego está **más lejos** que Los Angeles.

b.También se pueden hacer comparaciones usando **as + adjetivo + as** (tan..... como):

A Honda is **as good as** a Lexus.	Un Honda es **tan bueno como** un Lexus.
My sister is **as intelligent as** my brother.	Mi hermana **es tan** inteligente **como** mi hermano.

Y en negativo **not as + adjetivo + as** (no tan ... como):

A Honda **is not /isn´t as expensive as** a Lexus.	Un Honda **no es tan caro como** un Lexus.
This house **isn´t as big as** yours.	Esta casa **no es tan grande como** la tuya.

4 Ejercicios para practicar lo que aprendimos

Las respuestas escritas (Key) están al pie de cada página

a. Escribe los números que lees, como en el ejemplo:

1. two thousand ....2000..........
2. five thousand six hundred ....
3. twelve thousand ....
4. thirty thousand two hundred twenty ....
5. four hundred thousand ....
6. seven hundred ninety-two thousand ....
7. one million one hundred fifty thousand ....
8. two billion ....

b. Une los precios con su versión escrita. Fíjate en el ejemplo:

1. $ 56.89	a. Thirteen dollars, fifty cents
2. $ 124	b. One hundred twenty-four dollars
3. $ 8, 60	c. Five dollars, twenty-five cents
4. $ 13.50	d. Fifty-six dollars, eighty-nine cents
5. $ 78.30	e. Eight dollars, sixty cents
6. $ 5.25	f. Seventy eight dollars, thirty cents

c: Une estas monedas con su nombre:

1¢

5¢

10¢

25¢

a dime a nickel a penny a quarter

4a. 2) 5,600 3) 12,000 4) 30,220 5) 400,000 6) 792,000 7) 1,150,000 8) 2,000,000,000
4b. 1.d 2.b 3.e 4.a 5.f 6.c
4c. 1¢:a penny 5¢:a nickel 10¢:a dime 25¢:a quarter

d. Encuentra 5 partes de un automóvil entre las letras. Márcalas como en el ejemplo. Puedes buscar en forma horizontal y vertical:

M	J	T	M	K	D	T	P	O	I	B	T
I	F	E	N	D	E	R	U	M	M	O	P
C	N	K	L	L	O	U	S	Z	I	O	T
B	T	I	R	E	G	N	I	O	R	T	S
B	R	A	K	E	X	K	M	O	R	G	M
D	G	H	J	E	R	O	U	Z	O	X	M
M	L	P	W	H	E	E	L	Y	R	O	T
L	D	U	R	I	P	K	L	S	S	S	K

e. Observa las siguientes ilustraciones y escribe los comparativos como en el ejemplo:

1. expensive. *more expensive* ....
2. tall.................................
3. heavy..............................
4. beautiful............................
5. small................................
6. cold..................................

f. Lee las oraciones y escribe los comparativos:
Ej: Jake is 25. Tom is 28. ***Jake is younger***

1. The black shoes are $35. The brown ones are $25. The black shoes are -------------
2. My house is 5 blocks from here. Your house is 20 blocks. Your house is -------------
3. Bill is a good driver. Luis is not a good driver. Bill drives---------------------------------
4. Susan is very intelligent. Jake is not very intelligent. Susan -------------------------------
5. I run fast. Annie doesn´t run fast. I run ---
6. Basketball is interesting. Baseball isn´t interesting. Basketball is -------------------------

4d. fender-trunk-boot-tire- mirror-brake-wheel
4e 2.taller 3.heavier 4.more beautiful 5.smaller 6.colder
4f 1. more expensive 2. farther 3. better 4. more intelligent 5. faster 6. more interesting

Unit 18 Driver license / La licencia de conducir

Lesson 18

1 Escuchemos el CD

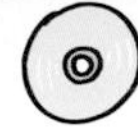

Cada vez que aparezca este ícono puedes escuchar el CD

Luis le pregunta a Bill cómo sacar la licencia de conductor.

Luis: Bill, do I **have to** apply for a driver license?

Bill: Yes, when you become a resident or get a job, you **must** apply for it.

L: And where do I **have to** go?

B: You **have to** go to the Department of Motor Vehicles office, or DMV, and you **must** complete an application form.

L: Do I **have to** pass any tests?

B: Yes, you **must pass** an eye test and a traffic laws and signs test.

L: Oh, my God. Is it very difficult?

B: Well, you **have to learn** the driving laws and understand traffic signs in English. Many laws are common sense, like, … you know… you **mustn´t drive** if you drink alcohol, you **musn´t drive** faster than the speed limit …

L: I see.

B: Anyway you can get into the DMV website on the Internet and read the California Driving Handbook. You can learn many regulations there.

L: Great, I´ll do it right away! And do I **have to** pick the license up from the same office?

B: You **don´t have to** pick it up from the office, you´ll receive it in the mail.

Luis: Bill, ¿**tengo que** solicitar una licencia de conductor?

Bill: Sí, cuando estableces residencia o tomas un trabajo, **debes** solicitarla.

L: ¿Y dónde **tengo que** ir?

B: **Tienes que** ir a una oficina del Departamento de Automotores, o D.M.V, y **debes** completar una forma de solicitud.

L: ¿**Tengo que** pasar algún examen?

B: Sí, **debes** pasar un examen de la vista y otro sobre las leyes y las señales de tránsito.

L: ¡Díos mío! ¿Es muy difícil?

B: Bueno, **tienes que** aprender las leyes de tránsito y entender las señales de tránsito en inglés. Muchas de las leyes son de sentido común, como,... tú sabes, ... **no debes** manejar si bebes alcohol, **no debes** manejar más rápido que el límite de velocidad ...

L: Entiendo.

B: De todas maneras, puedes entrar en el sitio de internet de la DMV y leer el Manual de Manejo de California. Puedes aprender muchas reglas allí.

L: ¡Fantástico, lo haré ya mismo! Y **tengo que retirar** la licencia de la misma oficina?

B: **No tienes que** retirarla de la oficina, la recibirás por correo.

a. Traffic signs/Las señales de tránsito: Veamos el significado de algunas señales:

Pare

Velocidad máxima 55

Ceda el paso

Two way
Doble sentido

No U turn
No girar en U

Manténgase a la derecha

No rigth turn
No girar a la derecha

Sentido único

No left turn
No girar a la izquierda

b. Estudiemos el vocabulario relacionado con el tránsito:

pedestrian: peatón
traffic light: semáforo
traffic signs: señales de tránsito
crosswalk: cruce peatonal
intersection: cruce de calles
highway/ freeway: autopista

turnpike: autopista con peaje
toll: peaje
lane: carril de una autopista

3 Estudiemos la gramática

a. En ***Unit 4, Lesson 4B***, estudiamos que para expresar algo que es necesario hacer se usa **"have to"** en afirmaciones y preguntas:

You **have to** go to an office of the. Department of Motor Vehicles.	**Tienes que** ir a una oficina del Departamento de Automotores.
Do I **have to** apply for a driver license?	**¿Tengo que** solicitar la licencia de conductor?

Ahora veremos que para expresar que **es necesario u obligatorio hacer algo**, sobre todo en el **lenguaje escrito**, o cuando se trata de **leyes, reglas** o **señales,** se usa el auxiliar **must** + verbo en infinitivo:

You **must** complete an application form.	**Usted debe** completar una forma de solicitud.
You **must** get a California Driver License if you´re a resident.	**Usted debe** obtener una licencia de conductor de California si es residente.
You **must pass** an eye test.	**Usted debe** pasar un examen de la vista.

b. Cuando se quiere expresar que **no es necesario** hacer algo, se usa **don't /doesn't have to** + verbo en infinitivo:

You **don´t have to** pick it up from the office, you´ll receive it in the mail.	**No tienes que** retirarla de la oficina, la recibirás por correo.
I **don't have to** go to the supermarket, Bill will go later.	**No tengo que** ir al supermercado, Bill irá más tarde.
You **don't have to** sign. It´s not necessary.	**No tienes que** firmar. No es necesario.

c. Cuando se debe expresar una **prohibición**, se usa **must not** o la forma contraída **mustn't.**

You **musn´t drive** if you drank alcohol.	**No debes** conducir si bebiste alcohol.
You **musn´t drive** faster than the speed limit.	**No debes** conducir más rápido que el límite de velocidad.

a menudo también se usa **can´t** para expresar prohibición cuando hablamos:

You **can´t drive** if you drank alcohol.	**No puedes** conducir si bebiste alcohol.

4 Ejercicios para practicar lo que aprendimos

Las respuestas escritas (Key) están al pie de cada página

a. Elige el auxiliar que corresponda:

Ej: It's Sunday, Annie ***doesn't have*** to work.

A. mustn't B. don't have to C. doesn't have to

1. You .... drive slowly when it´s raining.
   A. must B. don't have to C. doesn't have to

2. I ....go to the supermarket. Bill will go after work.
   A. mustn't B. don't have to C. doesn't have to

3. You .... park here. There´s a "No Parking" sign.
   A. mustn't B. don't have to C. doesn't have to

4. You .... drive fast near a school.
   A. mustn't B. don't have to C. doesn't have to

5. You ....have your driving license with you when your´re driving.
   A. must B. don't have to C. doesn't have to

4a: 1A 2B 3A 4A 5A

b. Fíjate en estos letreros. Escribe **must / mustn't / have to / don't have to** según expresen una prohibición, una necesidad o algo no necesario.

Prohibido el ingreso

1. You ....enter this building.

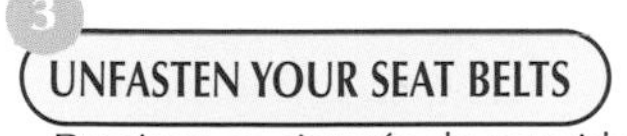

Ajuste su cinturón de seguridad

2. You ....fasten your seat belt.

Desajuste su cinturón de seguridad

3. You ....fasten your seat belt.

No cruce

4. You ....cross the street.

No fumar

5. You ....smoke.

c. Escucha el CD y coloca la letra de cada oración que escuches al lado del número que corresponda:

1................. 2................. 3.................

4................. 5.................

4b: 1 mustn't / 2 must / 3 don't have to / 4 mustn't / 5 mustn't
4c. 3a.You must stop at intersections. Do you see the sign over there? 5b. Oh, we have a problem. You can't turn left here. 1c. Turn right, this is a two way street. 4d. You must drive slowly here. There´s a school right there. 2e. You´re driving too fast. Look at the sign. You musn´t drive faster than 55 miles.

d. Lee las oraciones y marca en el casillero que corresponda. Fíjate en el ejemplo.

	Necessary	Not necessary	Prohibited
1. You must complete an application form.	X		
2. You don´t have to do the test in English.			
3. You must pass an eye test.			
4. You musn´t drive faster than the speed limit.			
5. You don´t have to pick the license up at the DMV office.			
6. You have to apply for a driver license.			

e. Completa los espacios en blanco para formar las palabras.
Ayúdate con las explicaciones:

Money you pay in a turnpike.	**1.**	_ _ _ **L**
You can drive faster here.	**2.**	_ **I** _ _ _ _ _
Vehicles moving along roads.	**3.**	_ _ _ _ _ _ **C**
There are many in a highway.	**4.**	_ _ _ **E**
Two roads cross here.	**5.**	_ **N** _ _ _ _ _ _ _ _ _ _
This person is walking.	**6.**	_ _ _ _ **S** _ _ _ _ _
You must pay a toll here.	**7.**	_ _ _ _ _ _ _ _ **E**

4d. 2. not necessary 3. necessary 4. prohibited 5. not necessary 6.necessary
4e. 1.toll. 2. highway 3.traffic 4.lane 5.intersection 6. pedestrian7. turnpike

Unit 19 Buying clothes/Comprando ropa

Lesson 19

1 Escuchemos el CD

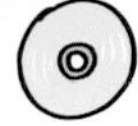

Cada vez que aparezca este ícono puedes escuchar el CD

Luis va al centro comercial a comprar una camiseta para Rosa, su hermana.

Salesclerk: Hi, **how can I help you?**
Luis: I´m looking for a T- shirt.
S: Is it **for** you?
L: No, it's **for** my sister.
S: What size is she?
L: I think she´s an **S.**
S: They are on that shelf.
L: Which one, the shelf on the right or **the one** on the left?
S: The one on the right.
L: Are they **S**? I think Rosa is very small. These T-shirts look big.

S: Then, she´s **XS.**
L: Yes, I **guess** an **XS** will **fit** her. **What colors do they come in?**
S: They come in **green, pink, lavender, yellow, orange, red…**
L: I like the **pink one. How much is it?**
S: $15 plus tax.
L: I want to buy **a pair of** tennis shoes **to match with** the T- shirt.
S: Sure, there are some on sale. What size?
L: I'm sure she´s a 5.
S: There you go.
L: How much is it?
S: It's $15 for the T-shirt and $25 plus taxes for the tennis shoes, that makes $48.40. **How are you paying for this?**
L: Cash. Here you go.
S: Thank you. Goodbye.
L: Now to the men's sector. I need **a pair of** pants.

Vendedora: Hola, **¿en qué puedo ayudarlo?**
Luis: Estoy buscando una camiseta.
V: ¿Es **para** Ud?
L: No, es **para** mi hermana.
S: ¿Qué talla es?
L: Creo que es **S.**
V: Están sobre aquel estante.
L: ¿Cuál, el estante de la derecha o **el de** la izquierda?
V: El de la derecha.
L: ¿Son **S**? Creo que Rosa es muy pequeña. Estas camisetas parecen grandes.
V: Entonces **es XS.**
L: Supongo que una **XS** le **sentará**. **¿En qué colores vienen?**
S: Vienen en **verde, rosa, lavanda, amarillo, anaranjado, rojo** ...
L: Me gusta la **rosa**. **¿Cuánto cuesta?**
V: US$15 más impuesto.
L: Quiero comprar **un par de** zapatos tenis que **le combinen** con la camiseta.
V: Seguro, hay algunos en oferta. ¿Qué número?
L: De esto estoy seguro. Ella es un 5.
V: Aquí tiene.
L: ¿Cuánto es en total?
V: US$15 por la camiseta y US$25 más impuestos por los zapatos tenis, son U$48.40. **¿Cómo va a pagar?**
L: En efectivo. Aquí tiene.
V: Gracias. Adiós.
L: Ahora al sector "Hombres". Necesito **un par de** pantalones.

2 Usemos el idioma

a. En una tienda, **el vendedor te ofrecerá ayuda** de la siguiente manera:

May I help you?
Can I help you?
How can I help you?
→ ¿Puedo ayudarlo?

b. Cuando buscas algo para comprar, puedes usar las siguientes frases:

I am looking for a pair of jeans.	Estoy buscando un par de jeans
I´d like to see	Quisiera ver
I want	Quiero
I need	Necesito

c. Al entregar algo, puedes decir:

Here you go
There you go
→ Aquí tiene

d. Si sólo estás mirando, puedes decir:

I´m just looking, thanks — Sólo estoy mirando, gracias

e. Para preguntar **cuánto cuesta** algo, puedes decir:

How much is it?
How much is this?
How much does this cost?
→ ¿Cuánto cuesta?

f. Si **lo compras,** dirás:

I´ll take	it	Lo/la llevo
	them	Los/las llevo

g. A la hora de pagar, te preguntarán:

How are you paying?	¿Cómo va a pagar?
How do you want to pay?	¿Cómo quiere pagar?

h. Y podrás contestar:

cash / **in cash** → en efectivo

with credit card → con tarjeta de crédito

i. Cuando hablas de **combinar colores,** puedes decir:

Can I see a pair of pants **to match** with this blue T-shirt?
¿Puedo ver un par de pantalones **que combinen** con esta camiseta azul?

I am looking for a color **to match** with navy blue.
Estoy buscando un color **que combine** con azul marino.

j. Los colores

brown	marrón	blue	azul
orange	anaranjado	gray	gris
red	rojo	black	negro
yellow	amarillo	white	blanco
green	verde	pink	rosa

cuando los colores son más claros, se usa **light:**
light blue: azul claro, celeste

cuando son más oscuros, se usa **dark:**
dark blue: azul oscuro

3 Estudiemos la gramática

a. Para evitar la repetición de sustantivos usamos las palabras **"one"** or **"the one".**

The **T-shirt** on the shelf is XS, the one on the table is S.
La camiseta sobre el estante es **XS**, la que está sobre la mesa es **S**.

I like this red **shirt,** but I like the blue **one** too.
Me gusta esta **camisa** roja, pero me gusta **la** azul también.

b. Cuando hay **varias opciones**, para saber a cuál te refieres puedes preguntar: **"Which one?"** que significa **¿Cuál?**

I want to see that T-shirt, please.	Quiero ver esa camiseta, por favor.
Which one, the green **one** or the gray **one**?	**¿Cuál, la** verde o **la** gris?

c. Los adjetivos. Se colocan siempre **delante del sustantivo**:

The **yellow** handbag is $35.	La cartera **amarilla** cuesta U$35.
This is a **small** T–shirt.	Esta es una camiseta **pequeña**.
That is a **heavy** bag.	Esa es una bolsa **pesada**.

o **detrás del verbo "to be"**:

The handbag **is yellow.**	La cartera **es amarilla.**
This T–shirt **is small.**	Esta camiseta **es pequeña.**
That bag **is heavy.**	Esa bolsa **es pesada.**

Los adjetivos en inglés **no tienen plural:**

a **yellow** T-shirt. five **yellow** T-shirts.	una camiseta **amarilla.** cinco camisetas **amarillas.**
a pair of **brown** shoes. two pairs of **brown** shoes.	un par de zapatos **marrones.** dos pares de zapatos **marrones.**

d. La preposición **"for"** indica que **algo es para alguien:**

Is it **for** you?	¿Es **para** ti?
No, it´s **for** my sister.	No, es **para** mi hermana.

e. Estos sustantivos se escriben siempre en plural:

shorts: pantalón/es corto/s
jeans: pantalón/es de jean
pants: pantalón/es largo/s
glasses: anteojos

para indicar que nos referimos a un solo artículo, debemos usar **"a pair of"** (un par de):

The **pants** are on that shelf.	Los **pantalones** están en aquel estante.
I´ll take this **pair of pants.**	Llevo este pantalón.

"a pair of" también se usa con los siguientes objetos que **siempre son dos:**

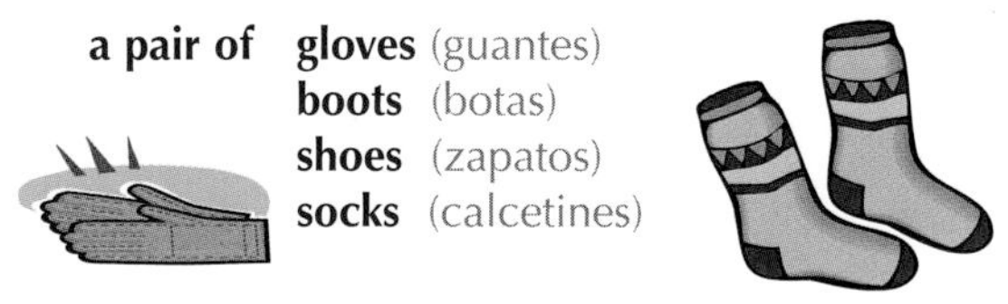

a pair of **gloves** (guantes)
boots (botas)
shoes (zapatos)
socks (calcetines)

4 Ejercicios para practicar lo que aprendimos

Las respuestas escritas (Key) están al pie de cada página

a. Reemplaza el sustantivo en negrita por **one**. Escribe toda la oración.

1. The pink T-shirt is S, the red **T-shirt** is XS and the lavender **T-shirt** is M.

   ....

2. The tennis shoes are on the shelf on the right, and the athletic shoes are on the **shelf** on the left.

   ....

3. The girl with red pants is Mary, and the **girl** with blue jeans is Meg.

   ....

4. I have two T-shirts. Which **T-shirt** is M and which **T-shirt** is L?

   ....

5. I think the T-shirt on your right is M, and the **T-shirt** on your left is L.

   ....

b. Ordena este diálogo. Escucha la respuesta en el CD.

a. –What size?
b. –Can I help you?
c. –M.
d. –Yes, blue, please.
e. –I'm looking for a pair of pants.
f. –Navy blue is O.K.
g. –Any particular color?
h. –You can have them in light blue or navy blue.
i. –$35.
j. –They fit me. How much are they?
k. –Thanks, sir. Bye.
l. –Here you go.
m. –There you are.

4b: b1; e2; g3; d4; h5; f6; a7; c8; l9; j10; i11; m12; k13

c. Ordena estas oraciones:

Ej: yellow/T-Shirt/is/this This T-shirt is yellow

1. the/ shirt/ blue/ $12/ is.

....

2. these/ big/ pants/ are/; / they/ me/ don't/ fit.

....

3. I / that/ green/ like/ one.

....

4. I / this/ you/ think/ pair/ suits/ white.

....

5. this/ blue/ sweater/ is.

....

6. are/ those/ shoes/ black.

....

d. Descubre la palabra que se forma en el centro:

1. Coal is ....

El carbón es negro

2. Wood is...............

La madera es marrón

3. The sky is ....

El cielo es azul

4. Lemons are ....

Los limones son amarillos

5. Strawberries are...............

Las fresas son rojas

1. _ _ _ _ _

2. _ _ _ _ _

3. _ _ _ _

4. _ _ _ _ _ _

5. _ _ _

4c: 1. The blue shirt is $12; 2. These pants are big; they don't fit me 3. I like that green one; 4. I think this white pair suits you; 5. This sweater is blue; 6. Those shoes are black.
4d: 1 black 2 brown 3 blue 4 yellow 5 red

Unit 20 Returning merchandise / Devolver productos

Lesson 20

1 Escuchemos el CD

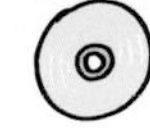

Cada vez que aparezca este ícono puedes escuchar el CD

Luis compró un par de pantalones pero no le quedan bien y al día siguiente decide ir a cambiarlos.

Salesclerk: Good morning sir. **May I help you?**
Luis: Er,... Yes, please. I bought these pants yesterday and they don't fit me. Could I change them?
S: O.K. Let me see. What´s the problem with them?
L: Well, ... I'm a **medium** size, but ...
S: These are perfect, they are size M.
L: Yes, but they are not long **enough**, they are **too** short.
S: Oh, I see. Why don´t you **try** these **on?**
L: **What kind** of pants are they?
S: They are the same pants but size L.
L: Right. Thanks. (He goes to the dressing room).
S: How do they **fit** you?
L: Well, they don´t **fit** me either. They´re **too** big.
S: Then, **try** this pair in M. How about it?
L: The **size** is O.K. but they are not long **enough.**
S: Oh, the legs are **too** short, let´s see an M with long legs. Here you are. **Try on** this pair, please.
L: Oh, well, at last ... These ones are fine. **I´ll take them.**
S: Good. Here you are. Bye!
L: Thank you very much for your help. Bye!

Vendedor: Buenos días, señor **¿puedo ayudarlo?**
Luis: Eh,...sí, por favor. Ayer compré estos pantalones y no me quedan bien. ¿Podría cambiarlos?
V: Está bien. Déjeme ver ...¿Cuál es el problema?
L: Bueno, ... Yo soy un M, pero....
V: Estos son perfectos, son M.
L: Sí, pero no son **suficientemente** largos, son **demasiado** cortos.
V: Ah! Ya veo. ¿Por qué no se **prueba** estos?
L: ¿**Qué tipo** de pantalones son?
V: Son los mismos pantalones, pero la talla es L.
L: Bien. Gracias. (Va al probador).
V: ¿Cómo le **quedan**?
L: Bueno, tampoco me **quedan** bien. Son **demasiado** grandes.
V: Entonces **pruébese** éstos en M. ¿Cómo le quedan?
L: La **medida** está bien, pero no son lo **suficientemente** largos.
V: Ah, las piernas son **demasiado** cortas, veamos un M con piernas largas. Aquí tiene. Pruébese este par, por favor.
L: Ah, bien, por fin ... Estos están bien. ¡Los llevo!
V: Bien. Aquí tiene. Adiós.
L: Muchas gracias por su ayuda. Adiós.

a. Clothes/La ropa. Escuchemos el CD.

suit: traje	pants: pantalones	blouse: blusa
shirt: camisa	T-shirt: camiseta	skirt: falda
tie: corbata	raincoat: impermeable	dress: vestido
coat: abrigo	scarf: bufanda	
sweater: suéter	gloves: guantes	

b. Cuando quieres saber **de qué tipo es determinado objeto** debes preguntar de la siguiente forma:

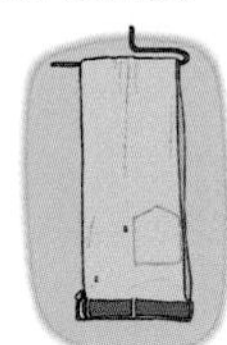

What type of...?	**¿Qué tipo** de ...?
What kind of ...?	**¿Qué clase** de ...?
What type of T–shirt?	**¿Qué tipo** de camiseta?
What kind of pants?	**¿Qué clase** de pantalones?

c. Size/La talla:

Hay tres medidas:

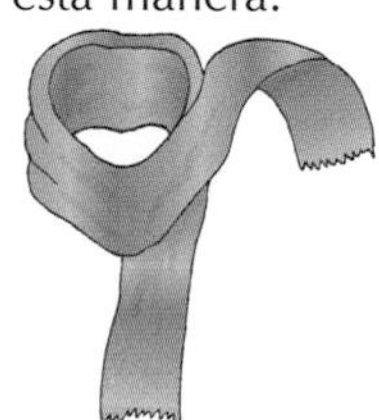

Large (L)	Grande, con sus variantes: XXL, Súper XL y Extra.
Medium (M)	Mediano/a.
Small (S)	Pequeño/a, con sus variantes: XXS, Súper XS y Extra.

d. Cuando deseas ver un **artículo en colores o tamaños diversos**, debes solicitarlo de esta manera:

May I see this **in** pink?	¿Puedo ver esto **en** rosa?
Can I have it **in** XL?	¿Puedo tener esto **en** extra grande?
May I have it **in** yellow?	¿Puedo verlo **en** amarillo?

e. Los verbos,**"suit"** y **"go"**: los podrás usar para expresar que **una prenda o un color te sienta bien.**

This color **suits** me very well.	Este color **me queda** muy bien.
These jeans **suit you**.	Estos jeans **te sientan.**
This T-shirt **goes** well **with** my new jeans.	Esta camiseta **va** bien **con** mis nuevos jeans.

f. Cuando te vas a **probar una prenda,** debes usar el verbo **"try on"**.

I'll **try on** this T- shirt.	Me **probaré** esta camiseta.
Please, **try** on these shoes.	Por favor, **pruébese** estos zapatos.
May I **try** on that raincoat?	¿Puedo **probarme** ese impermeable?

3 Estudiemos la gramática

a. "Too" (demasiado)

Debes usar **too** delante del adjetivo:

This pair of pants is **too big.** Este par de pantalones es **demasiado grande**.

These shoes are **too small.** Estos zapatos son **demasiado pequeños.**

b. Enough (suficientemente)

Debes usar **enough** después del adjetivo.

This T-shirt is **not big enough**. Esta camiseta **no es suficientemente grande.**

That skirt **is not long enough.** Esa falda n**o es suficientemente larga.**

This scarf is **not long enough.** Esta bufanda **no es suficientemente larga.**

c. Para **pedir permiso** se usa **May, Can, Could** en forma interrogativa:

+ Formal	**May** I see those jeans?	¿**Podría** ver esos jeans?
	May I see them in blue?	¿**Podría** verlos en azul?
Neutral	**Could** I try on this pair?	¿**Podría** probarme este par?
+ Informal	**Can** I try them on?	¿**Puedo** probármelos?

Y las respuestas pueden ser:

Afirmativas	**Negativas**
Yes, you **may**. Sí, puede.	No, you **may not.** No, no puede.
Yes, you **can**. Sí, puede.	No, you **can´t**. No, no puede.
Sure. Seguro.	**I´m sorry but you can´t.** Lo siento, pero no puede.
Certainly. Seguro .	**I´m afraid you can´t.** Me temo que no puede.
Of course. Por supuesto.	

d. En Unit 1, Lesson 1B, estudiamos **"this" (este, esta, esto)** y **"that" (ese, esa, eso aquel, aquella, aquello)**
Ahora veamos los **plurales:**

Singular	Plural
this	these

These significa "estas" "estos" ——► algo que está cerca de ti

I bought **these** pants yesterday.	Compré **estos** pantalones ayer.
Why don´t you try **these** on?	¿Por qué no se prueba **estos**?
These blouses are beautiful.	**Estas** blusas son bonitas.

Singular	Plural
that	those

Those significa "esas" "esos" "aquellas" "aquellos" ——► algo que está lejos de ti

Those shoes are black.	**Aquellos** zapatos son negros.
How about **those** skirts?	¿Qué te parecen **aquellas** faldas?
Those are fine.	**Aquellas** están bien.

4 Ejercicios para practicar lo que aprendimos

Las respuestas escritas (Key) están al pie de cada página

a. Escucha el CD y completa el diálogo: 

match with – may – can – looking for – type – white – fit – try

Salesclerk: (1)...............I help you?

Man: Yes, I'm (2)...............a shirt to (3)...............a blue tie.

S: What (4)............... of shirt, casual or formal?

M: Casual.

S: I have one in (5)...............or ligth blue.

M: (6)............... I have it in light blue, please?

S: Yes, here you are. You can (7)...............it on.

M: I think it'll (8)...............me. I' ll take it.

b. Lee las oraciones de la izquierda y escríbelas nuevamente usando **too.**

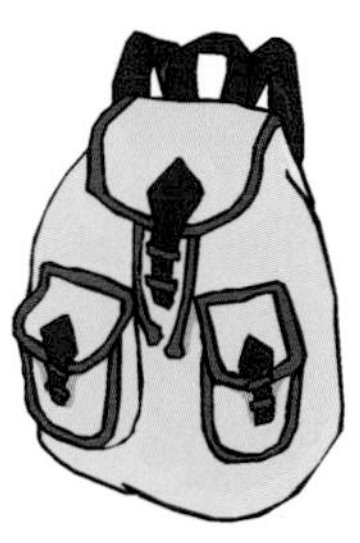

1. This bag is heavy. This bag is **too** heavy.
2. I am tired..
3. That sweater is small ....
4. This is difficult ....

c. Lee las oraciones de la izquierda y escríbelas nuevamente usando **enough**.

5. That sweater is not big. That sweater isn´t big **enough**
6. The scarf is not long ....
7. The pants are not long ....
8. My T-shirt is not big ....

4a: 1. may; 2.looking for; 3. match with; 4. type; 5. white; 6. can; 7. try; 8. fit.
4b: 2. I am too tired. 3. That sweater is too small. 4. This is too difficult. 4c. 6. The scarf is not long enough.
7. The pants are not long enough. 8. My T–shirt is not big enough.

d. Une las preguntas con las respuestas correspondientes:

1. Good morning sir, can I help you?
2. What color?
3. What size are you looking for?
4. Here. Do they suit you?
5. Only $16. They are on sale.

A. Yes, I'll take them. How much are they?
B. Here you are.
C. I need a pair of pants.
D. Brown, please.
E. I think I' m M.

e. Llena los espacios con el nombre de la prenda que corresponda. Ayúdate con las ilustraciones:

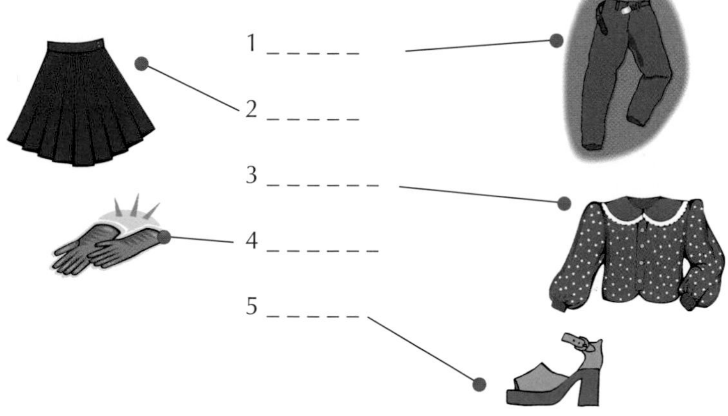

f. Escucha las conversaciones en el CD y decide si se da o no permiso a quien lo pide:

	Yes	**No**
1- Can I invite my friend Bill to the party?		
2- May I see your driving license?		
3- Could we park here?		
4- Can I use your phone?		
5- Can I take a photograph?		

4d: 1c: 2d: 3e: 4a: 5b.
4e: 1 pants 2-skirt 3-blouse 4-gloves 5-shoes.
4f: 1.Yes, of course. (Yes) 2. Sure. Here you are. (Yes) 3. No, you can't (No) 4. I'm sorry, but I'm expecting a call.(No) 5. Of course (Yes)

Unit 21 At the post office / En el correo

Lesson 21

1 Escuchemos el CD

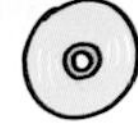

Cada vez que aparezca este ícono puedes escuchar el CD

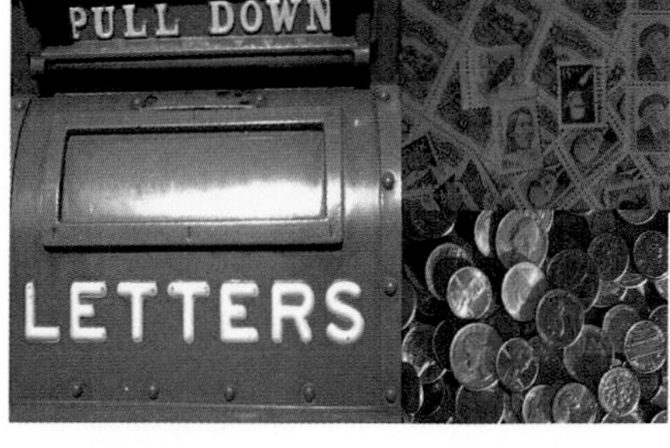

Luis va al correo para enviarle el regalo de cumpleaños a su hermana Rosa.

Luis: Good afternoon, I'd like to **send** this package.
Clerk: What are you **mailing**, sir?
L: A gift for my sister. It´s a T-shirt and a pair of tennis shoes.
C: Can you fill in this form, please? It's a customs requirement. How much did the gift cost?
L: $48.40.
C: How much does it weigh?
L: Er,...I don't know.
C: Let's put it on the scale... it's two **pounds**.
L: **How** can I **mail** it?
C: There are many delivery options, but I think **Global Airmail** is fine.
L: **How long does it take** to get to Mexico?
C: It takes between 4 and 10 days, and it costs $12.50.
L: O.K, I'll send it that way. One last question. **How** can I **send** money to Mexico?
C: It's easy to **wire** money to Mexico. You send a money order and your family can receive it at any post office there.
L: Good. Thank you very much. Bye.
C: Bye, bye.

Luis: Buenas tardes, quisiera **enviar** este paquete.
Empleado: ¿Qué va a **enviar**, señor?
L: Un regalo para mi hermana. Es una camiseta y un par de zapatos tenis.
E: ¿Puede completar esta forma, por favor? Es una exigencia de la aduana. ¿Cuánto costó el regalo?
L: US$48,40.
E: ¿Cuánto pesa?
L: Eh,...no lo sé.
E: Pongámoslo en la balanza... son dos **libras**.
L: ¿Cómo puedo **enviarlo**?
E: Hay muchas opciones de envío, pero creo que **Vía Aérea** está bien.
L: **¿Cuánto tarda** en llegar a México?
E: Tarda entre 4 y 10 días, y cuesta US$12,50.
L: Está bien, lo enviaré de esa manera. Una última pregunta. ¿Cómo puedo **enviar** dinero a México?
E: Es fácil **girar** dinero a México. Usted envía un giro y su familia puede recibirlo en cualquier oficina de correos allá.
L: Bien. Muchísimass gracias. Adiós.
E: Adiós.

2 Usemos el idioma

a. Fíjate en las equivalencias entre los diferentes sistemas de medición.

Sistema usado en EE.UU		Sistema métrico	
1 ounce (oz.)	(1 onza)	= 28 grams	(28 gramos)
1 pound (lb.)	(1 libra)	= 0.454 kilograms	(0.454 kilogramos)
1 gallon (gal.)	(1 galón)	= 4 liters	(4 litros)
1 inch (in.)	(1 pulgada)	= 25 millimeters	(25 milímetros)
1 foot (ft.)	(1 pie)	= 30 centimeters	(30 centímetros)
1 yard (yd.)	(1 yarda)	= 90 centimeters	(90 centímetros)
1 mile (m)	(1 milla)	= 1.6 kilometers	(1.6 kilómetros)

b. Veamos las **diferentes maneras de enviar correspondencia:**

Global economy	Económico
Global airmail	Vía aérea
Surface mail	Correo terrestre
Global express mail	Correo expreso
Global express guaranteed	Correo expreso certificado

3 Estudiemos la gramática

a. Preguntas con la palabra interrogativa **How.**

Cuando se usa sola, **How** quiere decir **Cómo**:

How are you?	**¿Cómo** estás?
How is the weather today?	**¿Cómo** está el tiempo hoy?
How can I get to the High Hills Hotel?	**¿Cómo** puedo llegar al Hotel High Hills?

Cuando se la **combina con otra palabra**, tiene diferentes significados:

How + often:
para preguntar con qué frecuencia se hace algo. ***(Unit 3, Lesson 3B)***

How often do you go jogging?	**¿Con qué frecuencia** sales a correr?

How + old:
para preguntar la edad. ***(Unit 2, Lesson 2B)***

How old is your sister?	**¿Cuántos años** tiene tu hermana?

How + far:
para preguntar por distancia

How far is it?	**¿A qué distancia** está?
How far is the school?	**¿A qué distancia** está la escuela?

How + much:
para preguntar por el precio de algo

How much is it?	**¿Cuánto cuesta?**
How much is this shirt?	**¿Cuánto cuesta** esta camisa?
How much does this shirt cost?	**¿Cuánto cuesta** esta camisa?

How + much:
para preguntar por cantidad con un sustantivo incontable ***(Unit 7, Lesson 7A)***

How much money do you have?	**¿Cuánto** dinero tienes?
How much water did you drink?	**¿Cuánta** agua bebiste?

How + many:
para preguntar por cantidad con un sustantivo contable ***(Unit 7, Lesson 7A)***

How many gifts are you sending?	**¿Cuántos** regalos va a enviar?
How many languages do you speak?	**¿Cuántos** idiomas hablas?

How + long:
Para preguntar por el tiempo que lleva hacer una actividad. Se combina con el verbo **take**, que en este caso significa "llevar" o "tardar".

How long does it **take** to get to Mexico?
¿Cuánto tiempo tarda en llegar a México?
How long does it **take** to travel from Los Angeles to San Francisco?
¿Cuánto tiempo lleva viajar desde Los Angeles hasta San Francisco?

para **contestar** se usa **"it" + takes:**

It takes between 4 and 10 days.	**Tarda/lleva** entre 4 y 10 días.
It takes 7 hours.	**Tarda/Lleva** 7 horas.

b. Estudiemos estos **verbos relacionados con el envío de correspondencia:**

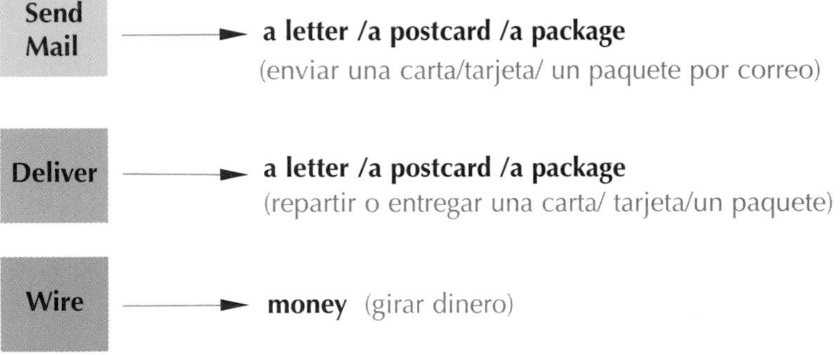
Send
Mail → **a letter /a postcard /a package**
(enviar una carta/tarjeta/ un paquete por correo)

Deliver → **a letter /a postcard /a package**
(repartir o entregar una carta/ tarjeta/un paquete)

Wire → **money** (girar dinero)

I'd like to **send** this letter.	Quisiera **enviar** esta carta.
They are **wiring** money home.	Ellos están **enviando** dinero a su casa.
The postman **delivers** letters.	El cartero **reparte** cartas.

4 Ejercicios para practicar lo que aprendimos

Las respuestas escritas (Key) están al pie de cada página

a. Une las abreviaturas con su medida y el equivalente en el sistema métrico como en el ejemplo:

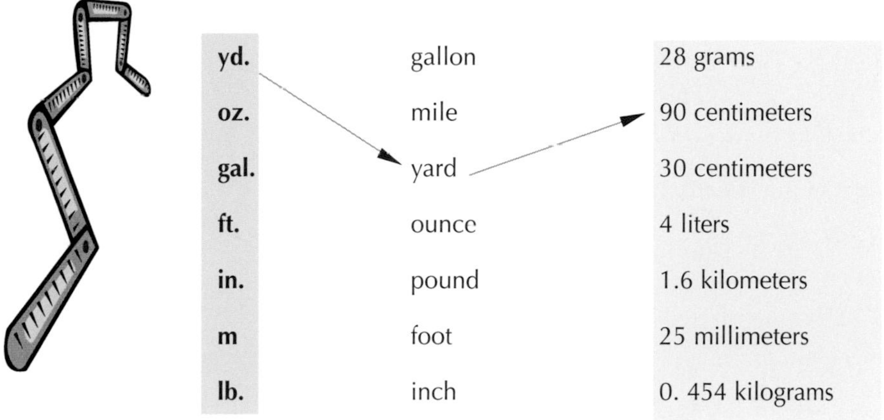

yd.	gallon	28 grams
oz.	mile	90 centimeters
gal.	yard	30 centimeters
ft.	ounce	4 liters
in.	pound	1.6 kilometers
m	foot	25 millimeters
lb.	inch	0. 454 kilograms

b. Completa los espacios en blanco con los números en los círculos:

$97.90 4 days 1l 1lb 1gal

1. It weighs............

2.The price is............

3. It takes............

4. You can drink............

5. ....of gas.

c. Combina How + una de las palabras del recuadro para formar una pregunta adecuada:

much long far often many

1. How (1)............is the hotel from the airport? It´s 10 kilometers.

2. How (2)............is Global airmail? It´s $12.50.

3. How (3)............do you go jogging? Twice a week.

4. How (4)............brothers and sisters have you got? Four brothers and two sisters.

5. How (5)............does it take to get to Los Angeles? Seven hours.

4a. Verifica tus respuestas en **Estudiemos el Idioma 2.a**
4b.(1)1lb (2) $97.90 (3) 4 days (4) 1l (5)1 gal
4c.(1) far (2) much (3) often (4) many (5) long

d. Escucha el CD y completa los espacios en blanco:

A: I´d like to (1)………………… this package.

B: What are you (2)…………………?

A: Three books.

B: How (3)………………… does the package (4)…………………?

A: Three (5)…………………, I think.

B: And how are you (6)…………………it?

A: Global airmail. How (7)…………………is it?

B: $12.50.

A: How (8)………………… does it (9)…………………to get to Argentina?

B: One week.

e. Combina el principio de las preguntas con un final adecuado:

How much	How long	How many	How old	How far	How often
(1)………..	(3)………..	(5)………..	(7)………..	(9)……..	(11)………..
(2)………..	(4)………..	(6)………..	8)………..	(10)……..	(12)………..

a. are you?

b. does it take to get to the station?

c. cars do you have?

d. is this?

e. is the hotel from here?

f. do you send letters?

g. does Global Airmail cost?

h. is your mother?

i. does he do yoga?

j. does it take to arrive in Mexico?

k. is the Post Office?

l. packages are you sending?

4d. (1) send (2)mailing (3)much (4) weigh (5) pounds (6) sending (7)much (8)long (9)take
4e. (1) d (2)g (3) b (4)j (5)c (6) l (7)a (8)h (9)e (10) k (11)f (12)i

Unit 22 At the bank / En el banco

Lesson 22

1 Escuchemos el CD

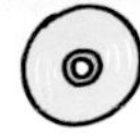

Cada vez que aparezca este ícono puedes escuchar el CD

Luis va a un banco para abrir una cuenta corriente.

Luis: Good morning. I'd like to **open an account.**

Clerk: At this moment we are offering "The One Account". This account offers a **current account, a savings account, a debit card and a credit card**. It costs $10 per month.

L: Can I operate my account through the phone or the Internet?

C: Yes. Our telephone **banking system** offers account information 24hs a day.

L: I **still** have some questions. What other services do you provide?

C: You will have a **card to withdraw money** from an ATM.

L: Debit cards are expensive, **aren't they?**

C: No, **our customers get debit cards** free of charge.

L: O.K. I'll open "The One Account". What do I have to do?

C: **First** fill in your name here, ...**after that** your address, and **then** your ID number. **Finally**, you have to sign here. That´s all.

L: Thank you very much for your help.

Luis: Buenos días. Me gustaría **abrir una cuenta.**

Empleado: En este momento estamos ofreciendo "La Cuenta Única". Esta cuenta ofrece **una cuenta corriente, una caja de ahorros, una tarjeta de débito y una tarjeta de crédito.** Cuesta US$10 por mes.

L: ¿Puedo operar mi cuenta por teléfono o por Internet?

E: Sí. Nuestro **sistema de operaciones bancarias por teléfono** ofrece información las 24hs del día.

L: **Todavía** tengo algunas preguntas. ¿Qué otros servicios ofrecen?

E: Ud. tendrá una tarjeta para **retirar dinero** del cajero automático.

L: Las tarjetas **de débito** son caras, **¿verdad?**

E: No, nuestros clientes reciben tarjetas de débito sin cargo.

L: Muy bien. Abriré "La Cuenta Única". ¿Qué tengo que hacer?

E: **Primero** complete con su nombre aquí, ...**después** su dirección y **luego** su número de documento. **Finalmente**, tiene que firmar aquí. Eso es todo.

L: Muchísimas gracias por su ayuda.

Algunos verbos relacionados con **operaciones bancarias** son:

To open an account	abrir una cuenta
To transfer money	transferir dinero
To withdraw money	retirar dinero
To deposit money	depositar dinero
To get balance information	obtener movimientos de cuentas

Otras palabras **que se refieren** a operaciones bancarias:

Mortgage	hipoteca
Personal Loan	préstamo personal
Interest rate	tasa de interés
Overdraft	sobregiro
Monthly payments	cuotas mensuales
ATM (Automatic Teller Machine)	cajero automático
Debit card	tarjeta de débito
Credit card	tarjeta de crédito
Checkbook	chequera
Bank statement	resumen bancario
Cash	efectivo
Transactions	transacciones

3 Estudiemos la gramática

a. Cómo pedir confirmación en el presente: En español, cuando dices algo y quieres que la persona que está hablando contigo lo confirme, dices **¿verdad?** o **¿no?** al final de la frase, cualquiera sea el tiempo verbal en el que hablas (presente-pasado-futuro)

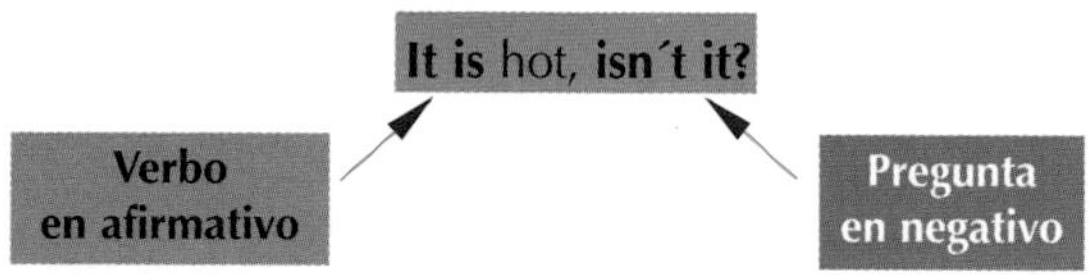

En inglés, **debes repetir el pronombre y el verbo "to be" o el auxiliar al final de la oración.** Si el verbo está en **afirmativo**, la **pregunta** se hace en **negativo**. Si el verbo está en **negativo**, la **pregunta** se hace en **afirmativo**. Veamos los ejemplos:

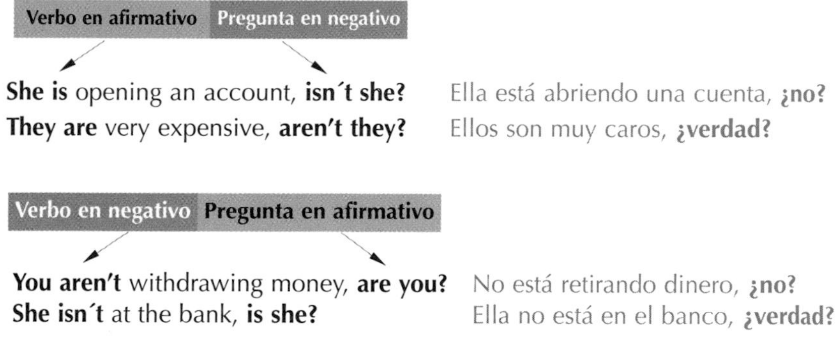

Con el verbo **to be:** Se repite **el pronombre y el verbo:**

Verbo en afirmativo | Pregunta en negativo

She is opening an account, **isn´t she?** Ella está abriendo una cuenta, **¿no?**

They are very expensive, **aren't they?** Ellos son muy caros, **¿verdad?**

Verbo en negativo | Pregunta en afirmativo

You aren't withdrawing money, **are you?** No está retirando dinero, **¿no?**

She isn´t at the bank, **is she?** Ella no está en el banco, **¿verdad?**

Con todos los **demás verbos:** Se repite el auxiliar que corresponda y el pronombre. Nunca se usa el verbo.

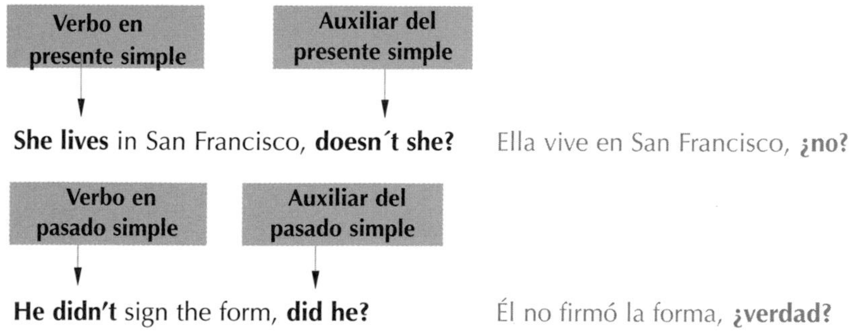

She lives in San Francisco, **doesn´t she?** Ella vive en San Francisco, **¿no?**

He didn't sign the form, **did he?** Él no firmó la forma, **¿verdad?**

b. Para decir **"todavía"** se usan dos adverbios: **"still"** y **"yet"**.

still se usa **después del verbo to be:**

I´m **still** tired.	**Todavía** estoy cansado.

y **delante de** los demás verbos:

I **still** have one more question.	Yo **todavía** tengo una pregunta más.
Do you **still** have a question?	¿**Todavía** tienes una pregunta?

En las negaciones debe usarse **yet** al final de la frase. Por ejemplo:

I'm **not** sure **yet.**	Yo **no** estoy seguro **todavía.**
I don´t have a card **yet.**	**No** tengo una tarjeta **todavía.**

c. Cuando se necesita **ordenar o enumerar acciones,** se utilizan las siguientes palabras:

First	Primero/En primer lugar
After that	Después de eso
Then	Luego
Finally	Finalmente

Observa estos ejemplos:

First you have to sign here, **after that** you must sign the back of your card, **and finally** you can use your credit card.

When you open an account, **first** you fill in a form and **then**, you receive your card.

d. Cuando se habla de **gastar dinero,** se usan dos verbos:

uno transmite una idea neutral ——► **spend:** gastar
otro transmite una idea negativa ——► **waste:** malgastar

I **spend** $100 per month in gas.	**Gasto** US$100 por mes en gasolina.
He **wastes** a lot of money on cars.	El **malgasta** mucho dinero en automóviles.

Estos dos verbos también están relacionados con el dinero:

Borrow (pedir prestado) **Lend** (prestar).

She **borrows** money from the bank.	Ella **pide prestado** dinero al banco.
The bank **lends** her money.	El banco le **presta** (a ella) dinero.

4 Ejercicios para practicar lo que aprendimos

Las respuestas escritas (Key) están al pie de cada página

a. Escucha el CD y completa con las confirmaciones adecuadas:

Ej: It is very convenient, ***isn't it?***

1. You have a current account, ...?
2. She doesn't need to withdraw all that money, ...?
3. Credit cards are very expensive, ...?
4. He needs a checkbook, ...?
5. Debit cards are free of charge, ...?

b. Une estas oraciones eligiendo tres de las siguientes palabras:

first	**after that**	**then**	**finally**

Ej: You have to ask for a personal loan. You receive the money. You can buy a house.
First you have to ask for a personal loan, ***then /after that*** you receive the money, and ***finally*** you can buy a house.

1. You have to fill in a form. You open an account. You get a credit card.

....

2. I need your name. I need your address. I have to know your ID number.

....

3. You have to sign here. You have to sign on the back for protection. You must remember your password.

....

4. You open a current account. You receive your checkbook. You can pay your bills.

....

4a. 1. don't you? 2 does she? 3 aren't they? 4 doesn't he? 5 aren't they?
4b. 1. First you have to fill in a form. After that, you open an account. Finally, you get a credit card.
2. First I need your name, then I need your address, and finally, I have to know your ID number.
3. First you have to sign here. After that, you have to sign on the back for protection and finally, you must remember your password. 4. First you open a current account, then you receive your checkbook and finally, you can pay your bills.

c. Coloca correctamente **still** o **yet** en las siguientes oraciones:

Ej: I'd like to open an account but I'm not sure.
I'd like to open an account but I'm not sure ***yet.***

1. Are you interested in the account?

....

2. I don´t have a credit card.

....

3. Do you have a question?

....

4. I can´t operate my account on the Internet.

....

5. It's 9 a.m. and the bank is closed.

....

d. Completa las palabras que faltan luego de leer las siguientes definiciones:

1. To obtain money from an ATM.
   (Obtener dinero de un cajero automático)
2. The bank gives you the money you need to buy the car.
   (El banco te entrega el dinero que necesitas para la compra de un automóvil)
3. To use your money.
   (Usar tu dinero)
4. You ask the bank to lend you money
   (Le pides al banco que te preste dinero)
5. You pay with money.
   (Pagas con dinero)
6. You have to do this after filling in the form.
   (Tienes que hacer esto después de llenar el formulario)
7. To use your money in a negative way.
   (Usar tu dinero de manera negativa)

1. _ _ _ _ **D** _ _ _
2. _ **e** _ _
3. _ **p** _ _ _
4. _ **o** _ _ _ _
5. _ _ **s** _
6. _ **i** _ _
7. _ _ _ **t** _

4c. 1. Are you still interested in the account? 2. I don´t have a credit card yet. 3. Do you still have a question?
4. I can´t operate my account on the Internet yet. 5. It's 9 a.m. and the bank is still closed.
4d. 1. withdraw 2. lend 3. spend 4. borrow 5. cash 6. sign 7. waste

Unit 23 Describing a place / Descripción de un lugar

Lesson 23

1 Escuchemos el CD

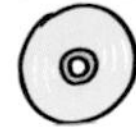

Cada vez que aparezca este ícono puedes escuchar el CD

Luis le envía un correo electrónico a su hermana Rosa y le cuenta cómo es el departamento en el que vive con Bill.

Dear Rosa,

I hope you liked the gifts I sent you for your birthday.
Did you enjoy your party? Tell me about it!

I just got back from work. I have to clean up a bit, but I´m pretty tired. **Bill´s apartment** is small but it´s comfortable.

There´s a **living room**, a **kitchen**, a **bedroom** and a **bathroom**. **In** the **living room**, there's a big **window**, a brown **couch**, a **square coffee table**, a **rectangular rug** and a **metal lamp**.

There are a lot of photographs of **Bill´s friends and family on** the **walls**. I´m going to put some of my **family´s photos too! In** the **kitchen,** there´s **a round glass table** and there are two **chairs.** The **bathroom** isn´t very big **either**, but there´s a **bathtub.** There´s a window **in** the bedroom **too**, two **beds** and a **closet.** And we have a computer on a small **desk.** I´ll send you some photographs soon!

Take care, and study English!
Love,
Luis

Querida Rosa,

Espero que te hayan gustado los regalos que te envié para tu cumpleaños.
¿Disfrutaste de tu fiesta?¡Cuéntame acerca de ella!

Yo acabo de regresar del trabajo. Tengo que **hacer** un poco de **limpieza** pero estoy muy cansado. **El departamento de Bill** es pequeño pero es cómodo.

Hay una **sala de estar**, una **cocina**, un **dormitorio** y un **baño**. **En** la **sala de estar** hay una gran **ventana**, un **sofá marrón**, una **mesa de centro cuadrada**, una **alfombra rectangular** y una **lámpara de metal**.

Hay un montón de fotografías de **los amigos y la familia de Bill sobre** las **paredes.** ¡Pondré algunas **fotos de mi familia también!** En la **cocina,** hay una **mesa redonda de vidrio** y dos **sillas**. El **baño** no es muy grande **tampoco**, pero hay una **bañera**. Hay una **ventana** en el **dormitorio también**, dos **camas** y un **ropero**. Y tenemos una computadora **sobre** un **escritorio** pequeño.¡Te enviaré algunas fotos pronto!

Cuídate, y ¡estudia inglés!
Cariños,
Luis

2 Usemos el idioma

a. Fíjate en lo que dicen los casilleros del correo electrónico:

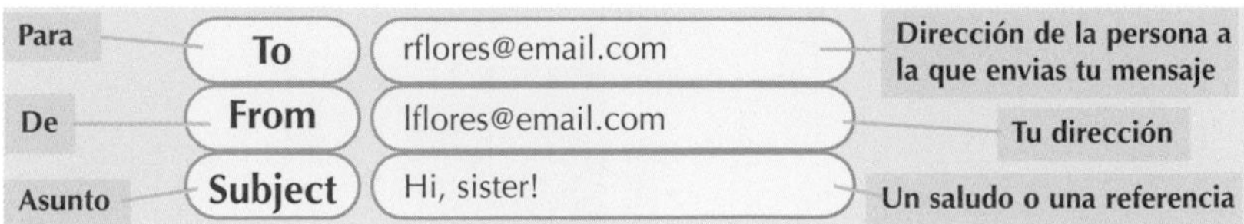

De esta forma se leen los signos en una dirección de correo electrónico:

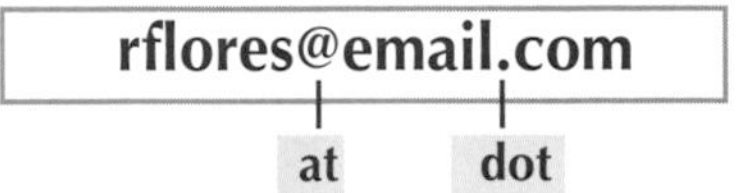

b. Para expresar **algo que esperas que haya sucedido** (en el pasado) **o que suceda** (en el futuro), se usa el verbo **hope** (esperar, tener la esperanza):

I **hope** you liked the gifts!	¡**Espero** que te hayan gustado los regalos!
I **hope** they had a nice weekend.	**Espero** que ellos hayan tenido un buen fin the semana.
I **hope** I'll finish early.	**Espero** terminar temprano.

c. **An apartment**/ Un departamento

Rooms: habitaciones

living room: sala de estar
dining room: comedor
kitchen: cocina
bedroom: dormitorio
bathroom: baño

Furniture: muebles

couch: sofá
chair: silla
table: mesa
coffee table: mesa de centro
bed: cama
closet: ropero
desk: escritorio

Home appliances: artefactos del hogar

Refrigerator: refrigerador
cooker: cocina
oven: horno
vacuum cleaner: aspiradora
washing machine: lavarropas
microwave oven: horno a microondas

d. **Shape** (formas) y **materials** (materiales):

Shape		**Material**	
	square (cuadrado/a)		metal (metal)
	round (redondo/a)		wood (madera)
	rectangular (rectangular)		glass (vidrio)

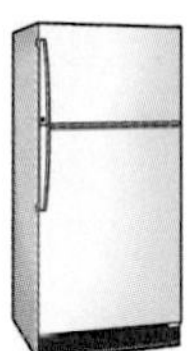

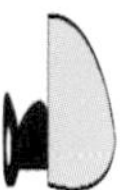

e. Veamos estas otras **maneras de despedirte:**

Take care!	**¡Cuídate!**
Look after yourself!	**¡Cuídate!**
Keep well!	**¡Que sigas bien!**

3 Estudiemos la gramática

a. Para indicar posesión, estudiamos en ***Unit 1 (Lesson 1A)*** y en ***Unit 2 (Lesson 2 A)*** los adjetivos posesivos **my-your-his-her-its-our-their**.

Ahora veremos **el genitivo**, otra manera más de indicar posesión, que se forma agregando **´s** al sustantivo que se refiere a la persona que posee algo:

	<u>Genitivo</u>	
Bill has an apartment	Bill´s apartment	El departamento de Bill
My sister has a book	my sister´s book	El libro de mi hermana
Annie has a car	Annie´s car	El auto de Annie

Cuando el **sustantivo es plural**, **sólo se agrega el apóstrofo (´):**

My brothers have an apartment.	My brothers´ apartment.	El departamento de mis hermanos.
Her friends have a house.	Her friends´ house.	La casa de sus amigos.

Cuando el nombre termina en **s**, se puede agregar **´s´** o solamente:

James**´s** car o Jame**s´** car (se pronuncia "**shé**im**ziz**")	Dennis**´s** apartment o Dennis**´** apartment (se pronuncia "**dé**ni**siz**")

b. Las preposiciones de lugar **"in" "on"** y **"at":**

in (en)
Significa **dentro de un lugar cerrado o con límites:**

in the kitchen **en** la cocina **in** the park **en** el parque **in** a city **en** una ciudad

También se dice:

in the street : en la calle
in a car: en un automóvil
in the newspaper: en el diario
in bed: en la cama
in Los Angeles
in Australia

on (sobre)
significa **apoyado sobre una superficie:**

on the table **sobre** la mesa **on** the wall **sobre** la pared **on** the floor **sobre** el piso

Fíjate en estos otros ejemplos:

on Market Street: **en** la calle Market
on a bus: **en** un autobús
on a train: **en** un tren
on a plane: **en** un avión
on the first floor: **en** el primer piso
on the corner: **en** la esquina
on the right/left: **a** la derecha/izquierda
on the radio: **en** la radio

at (en)
indica **ubicación en general:**

at the door **en** la puerta **at** the bus stop **en** la parada de autobuses
at the end of the street **al** final de la calle

Se usa también en estos casos:

at home: **en** casa
at work: **en** el trabajo
at school: **en** la escuela
at the airport: **en** el aeropuerto
at the gas station: **en** la gasolinería
at the conference: **en** la conferencia
at the concert: **en** el concierto

4 Ejercicios para practicar lo que aprendimos

Las respuestas escritas (Key) están al pie de cada página

a. Completa la palabra que falta en las oraciones y escríbelas en los espacios horizontales:

1. There´s a bathtub in the	**1.**	_ **A** _ _ _ _ _ _
2. There´s one in the living room	**2.**	_ _ _ **P**
3. You sit on this	**3.**	_ _ **A** _ _
4. You use this to cook	**4.**	_ _ _ _ _ _ **R**
5. You put your clothes in it	**5.**	_ _ _ _ _ _ **T**
6. You sleep here	**6.**	_ _ _ _ _ _ _ **M**
7. Your computer is on it	**7.**	_ **E** _ _
8. You cook here	**8.**	_ _ _ _ _ _ _ **N**
9. You eat on it	**9.**	**T** _ _ _ _

b. Coloca los siguientes objetos según la forma que puedan tener. No los repitas:

door ball window orange bed chair sun coffee table washing machine bathtub CD credit card

round	**square**	**rectangular**
1............	5............	9............
2............	6............	10............
3............	7............	11............
4............	8............	12............

c. Coloca estos objetos según el material en que puedan estar hechos:

door desk coin window bottle can jar floor key

Metal	**Glass**	**Wood**
....	....	....
....	....	....
....	....	....

4a. 1bathroom 2 lamp 3 chair 4 cooker 5 closet 6 bedroom 7 desk 8 kitchen 9 table
4b. 1 sun 2 ball 3 orange 4 CD 5 coffe table 6 window 7 chair 8 washing machine 9 door 10 bathtub 11 credit card 12 bed
4c. metal: can-key-coin glass: window-bottle-jar wood: door-desk-floor.

d. Lee las oraciones y modifícalas usando el genitivo (´s):
Ej: Annie has a brother ***Annie´s brother***

1. Bill has a friend ....
2. Luis has a sister ....
3. Annie has an apartment ....
4. My sister has a book ....
5. My mother has a piano ....
6. The doctor has an office ....
7. James has a new car ....
8. My cousins have a house ....

e. Lee el siguiente texto y completa con las preposiciones **in-on-at-** Luego escucha el CD.

1. My friend Julio lives .... an apartment ....Buenos Aires.
2. Luis lives.........2200 Folsom Street, ...the 3rd floor.
3. I don´t like to stay.........home on weekends.
4. Luis is cooking .... the kitchen.
5. I read it.........the newspaper but Annie listened to it.........the radio.
6. I´m sorry, he´s.........work right now.
7. There are many pictures of his family ....the walls.
8. The drugstore is.........your right.

f. Mira los dibujos y escribe la preposición que corresponda:

1. ...the bus 2. ...the bus stop 3. ......the office 4. ......the box 5. ......the desk

4d. 1 Bill´s friend 2 Luis´sister o Luis´s sister 3 Annie´s apartment 4 My sister´s book 5 My mother´s piano 6 The doctor´s office 7 James´car o James´s car 8 My cousins´house o My cousins´s house.
4e. 1 in-in 2 at-on 3 at 4 in 5 in-on 6 at 7 on 8 on
4f. 1 on 2 at 3 in 4 in 5 on

Unit 24 Cleaning up / Limiar y ordenar

Lesson 24

1 Escuchemos el CD

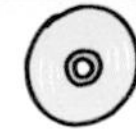

Cada vez que aparezca este ícono puedes escuchar el CD

Bill y Luis hablan sobre cómo ordenar el departamento.

Luis: Look, Bill, this place is **a mess**. **We have to clean up**, don´t we?
Bill: Uh, yeah, it´s very **untidy**, I know. **I don´t like this mess but ...**
L: I don´t **either**. There are **dirty** glasses and empty pizza boxes on the table.. books and papers on the floor ...
B: Well, yes, this mess is **mine**, but in our bedroom, there´s a jacket on my bed ...
L: Er, ... that´s **mine.**
B: ...and **smelly** socks on the chair, ... **whose are** they? ...
L: Well, ... they´re **mine** too ...
B:... and in the bathroom there are dirty clothes on the floor, they´re **yours** too ...
L: ... yes, but **whose** is that shirt on the couch?
B: O.K. We´re **both** making a mess. I´ve got an idea. I´ll **wash the dishes, sweep the floors** and **tidy the living room.** And you´ll **pick up your clothes, make the beds** and **clean the bathroom.**
L: Yuck, I **hate** cleaning the bathroom!
B: I do **too!**

Luis: Mira, Bill, este lugar es **un lío**. Tenemos que limpiar, ¿verdad?
Bill: Eh, sí, está muy **desordenado**, lo sé. No me gusta este **desorden**, pero ...
L: A mí **tampoco**. Hay vasos **sucios** y cajas vacías de pizza sobre la mesa ... libros y papeles sobre el piso ...
B: Bueno, sí, este desorden es **mío**, pero en nuestro dormitorio hay una chaqueta sobre mi cama ...
L: Eh ... esa es **mía**.
B: ...y calcetines **olorosos** sobre la silla, ... **¿de quién son**? ...
L: Bueno, ... son **míos** también ...
B:... y en el baño hay ropa sucia sobre el piso, es **tuya** también ...
L: ... sí, pero **¿de quién** es esa camisa sobre el sofá?
B: O.K. Ambos estamos causando este desorden. Tengo una idea. Yo **lavaré** los platos, **barreré** el piso y **ordenaré** la sala de estar. Y tú **recogerás** tu ropa, **harás** las camas y **limpiarás** el baño.
L: Aah! ¡**Odio** limpiar el baño!
B: ¡Yo **también!**

2 Usemos el idioma

a. Fíjate en estas frases con la palabra **mess** (lío/desorden):

This place is a **mess**!	Este lugar es un lío!
What a **mess**!	¡Qué **lío/ desorden**!
Look at this **mess**!	¡Mira este **desorden**!
I don´t like this **mess**.	No me gusta este **desorden**.
We´re making a **mess**.	Estamos **desordenando/ haciendo lío.**

b. Aprendamos estos adjetivos:

clean: limpio	**dirty**: **sucio**
tidy: ordenado	**untidy: desordenado**

c. Veamos qué se dice cuando sugieres ordenar un lugar:

We have to clean up!	**¡Tenemos que limpiar!**
Let´s clean up this mess!	**¡Limpiemos este desorden!**
Let´s clean the kitchen	**Limpiemos** la cocina
bathroom	el baño
bedroom	el dormitorio

d. Veamos algunas **tareas domésticas** que pueden hacerse para ordenar un lugar:

wash the dishes	lavar los platos
sweep the floor	barrer el piso
tidy the living room	ordenar la sala de estar
pick up clothes	recoger la ropa
make the bed	hacer la cama
clean the bathroom	limpiar el baño
vacuum the carpet	pasar la aspiradora por la alfombra
dust the furniture	sacar el polvo de los muebles
iron clothes	planchar la ropa

3 Estudiemos la gramática

a. Otra manera de indicar posesión es usando los **pronombres posesivos:**

mine: mío/a míos/as	**ours:** nuestro/a nuestros/as
yours: tuyo/a-suyo/a	**yours:** suyo (de ustedes)
his: suyo (de él)	**theirs:** suyo (de ellos/as)
hers: suyo (de ella)	

Reemplazan a un sustantivo y se usan para evitar la repetición:

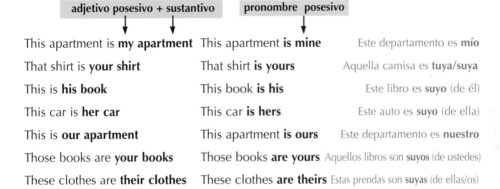

adjetivo posesivo + sustantivo	pronombre posesivo	
This apartment is **my apartment**	This apartment **is mine**	Este departamento es **mío**
That shirt is **your shirt**	That shirt **is yours**	Aquella camisa es **tuya/suya**
This is **his book**	This book **is his**	Este libro es **suyo** (de él)
This car is **her car**	This car **is hers**	Este auto es **suyo** (de ella)
This is **our apartment**	This apartment **is ours**	Este departamento es **nuestro**
Those books are **your books**	Those books **are yours**	Aquellos libros son **suyos** (de ustedes)
These clothes are **their clothes**	These clothes **are theirs**	Estas prendas son **suyas** (de ellas/os)

b. Para preguntar **a quién pertenece algo**, se usa **Whose?** (¿De quién?/¿De quienes?)

whose + verbo **to be** en **singular:**

Whose is this book? ¿**De quién** es este libro? It´s **mine.** Es **mío.**
Whose is this car? ¿**De quién** es este automóvil? It´s **hers.** Es **suyo** (de ella).

whose + verbo **to be** en **plural:**

Whose are those shoes? ¿De quienes son aquellos zapatos? They´re **his.** Son **suyos**(de él).
Whose are these socks? ¿De quienes son estos calcetines? They´re **yours.** Son **tuyos.**

Whose + **sustantivo singular** + verbo **to be** en **singular:**

Whose book is this? **¿De quién es este libro?**
Whose car is that? **¿De quién es aquel automóvil?**

Whose + **sustantivo plural** + verbo **to be** en **plural:**

Whose shoes are those? **¿De quién son** aquellos **zapatos?**
Whose socks are these? **¿De quién son** estos **calcetines?**

c. Cuando **estás de acuerdo con algo que alguien está diciendo**, puedes expresarlo de las siguientes maneras:

Si se trata de una **oración afirmativa**, se usa **too** (también), al final de la oración:

A: **I am** very tired. **Estoy** muy cansado.
B: I am very tired too. **Estoy** muy cansado **también.**
A: **I like** cleaning up. **Me gusta** limpiar.
B: I like cleaning up, too. **Me gusta** limpiar también.

Si es una **oración negativa**, se usa **either** (tampoco), al final de la oración:

A: **I´m not** very tired. **No estoy** muy cansado.
B: **I´m not** very tired **either**. **No estoy** muy cansado **tampoco.**

A: **I don´t** like cleaning up. No me gusta limpiar.
B: **I don´t** like cleaning up **either.** No me gusta limpiar **tampoco.**

Para no repetir toda la frase, puedes armar la respuesta de la siguiente manera: si en la frase se usa el **verbo to be**, debes repetirlo y agregar **too** si es una oración **afirmativa** o **either** si es **negativa.**

A: I **am** very tired. **Estoy** muy cansado.
B: I **am** too. **Yo** (estoy) **también.**

A: I´**m not very** tired. **No estoy** muy cansado.
B: I´**m not either.** **Yo** (no estoy) **tampoco.**

si en la frase se usa **cualquier otro verbo**, no repites el verbo sino que se usa el **auxiliar que corresponda:**

Oraciones afirmativas

Verbo en presente continuo — Verbo to be

I **am dusting** the furniture. I **am too.**
She **is picking up** her clothes. He **is too.**

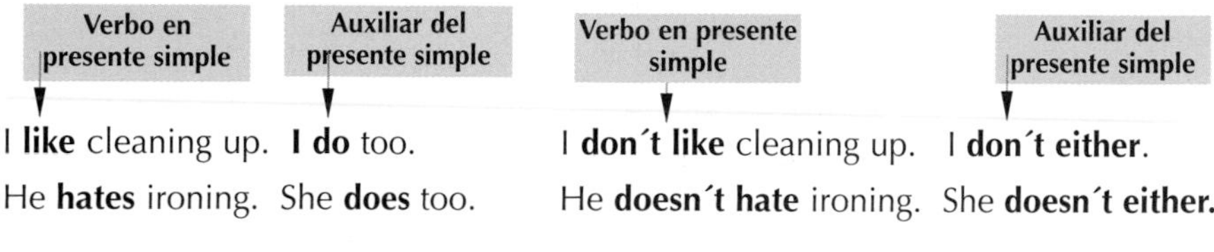

Verbo en presente simple — Auxiliar del presente simple

I **like** cleaning up. **I do** too.
He **hates** ironing. She **does** too.

Verbo en pasado simple — Auxiliar del pasado simple

I washed the dishes. I **did too.**
They **made** the beds. We **did too.**

Oraciones negativas

Verbo en presente continuo — Verbo to be

I **am not dusting** the furniture. I **am not either.**
She **is not picking up** her clothes. He **is not either.**

Verbo en presente simple — Auxiliar del presente simple

I **don´t like** cleaning up. I **don´t either**.
He **doesn´t hate** ironing. She **doesn´t either.**

Verbo en pasado simple — Auxiliar del pasado simple

I **didn´t wash** the dishes. I **didn´t either.**
They **didn´t make** the beds. We **didn´t either.**

4 Ejercicios para practicar lo que aprendimos

Las respuestas escritas (Key) están al pie de cada página

a. Escucha el siguiente diálogo y completa los espacios en blanco:

A: What a (1)..............! ¡This place is very (2)..............!

B: Yes, there are (3).............. clothes on the (4)..............and (5).............. shoes in the (6)...............

A: And (7)..............dishes on the (8).............., and pizza boxes on the (9)..............

B: Let´s (10)........... .... right now! I´ll (11)........... ...... my clothes and put my shoes outside the (12)..............

A: O.K. I´ll (13).............. the dishes and (14).............. the floor. Just one question, who will (15).............. the (16)..............?

B: You!

b. Termina las oraciones usando mine/ yours/ his/ hers/ ours/ theirs:
Ej: It´s my car. It´s ***mine***

1. It´s her raincoat. It´s ....
2. Those are his shoes. They´re ....
3. It´s their apartment. It´s.......................
4. These are our umbrellas They´re................
5. It´s your book It´s.......................
6. It´s my shirt It´s.......................

4a. 1 mess 2 untidy 3 dirty 4 floor 5 smelly 6 living room 7 dirty 8 table 9 floor 10 clean up 11 pick up 12 window 13 wash 14 sweep 15 clean 16 bathroom
4b. 1 hers 2 his 3 theirs 4 ours 5 yours 6 mine

c. Elige la palabra correcta y subráyala:

Ej: This is ***my*** / mine apartment

1. These socks *are your / yours.*
2. This is not *her / hers* apartment.
3. That car is *mine / my.*
4. Are these *your / yours* books?
5. *Our/ours* house is at the end of the street.
6. Those are *their / theirs* bags.

d. Mira las ilustraciones. Escribe preguntas con ***Whose...?***

1. Whose book ....is this?
2. ....is this?
3. ....is that?
4. ....are these?
5. ....are those?
6. ....are these?
7. ....are those?
8. ....is that?

e. Lee las siguientes oraciones y escribe respuestas que expresen acuerdo:

1. I hate cleaning up.	She ....
2. She´s not at home.	He ....
3. They like going to the movies	I ....
4. He speaks Italian	They..
5. They lived in San Diego	We..
6. I´m traveling next weekend	She...
7. We don´t have a car	I..
8. He didn´t clean the kitchen	She ....

4c. 1 yours 2 her 3 mine 4 your 5 Our 6 their
4d. 2 Whose umbrella 3 Whose jacket 4 Whose glasses 5 Whose hats 6 Whose gloves 7 Whose watches
8 Whose camera
4e. 1 does too 2 is not either 3 do too 4 do too 5 did too 6 am too 7 don't either 8 didn't either

Unit 25 Blind date/ Cita a ciegas

Lesson 25

1 Escuchemos el CD

Cada vez que aparezca este ícono puedes escuchar el CD

Annie y Bill quieren que Luis conozca a Nicole, una amiga de Annie.

Annie: What's the matter?
Bill: I'm a bit **worried about** Luis. He **looks sad.**
A: Why? **What's wrong with him?**
B: I think he **either** misses his family **or** his Mexican girlfriend. She left him when he came here and she **neither** phoned **nor** wrote an e-mail.
A: That´s too bad! Maybe he **feels lonely**. Listen, I´m **going to do** something.
B: What? What **are** you **going to** do?
A: **Why don't** we arrange a blind date?
B: That sounds cool, but who is "the one"?
A: Let me think … I've got it! Nicole, my best friend. I think they're going to match perfectly. **Both** work at international hotels.
B: O.K. let's do it. I'**m going to talk with Luis. What about** arranging something for, say, … next Saturday?
A: Great!
B: Only that …..
A: **What's the matter** now?
B: Are you sure they'**ll match?**
A: Well, at least Luis **will have** an opportunity to improve his English! (Both laugh)

Annie: ¿Qué sucede?
Bill: Estoy un poco **preocupado por** Luis. Se **ve triste.**
A: ¿Por qué? **¿Qué le pasa?**
B: Creo que **o** extraña a su familia **o** a su novia mexicana. Ella lo dejó cuando él vino aquí, y **ni** lo llamó **ni** le escribió un correo electrónico.
A: ¡Qué mal! Quizás **se siente solo**. Oye, **voy a hacer** algo.
B: ¿Qué? ¿Qué **vas a** hacer?
A: ¿Por qué no arreglamos una cita a ciegas?
B: Eso suena fantástico, ¿pero quién es "la elegida"?
A: Déjame ver... ¡Ya lo tengo! Nicole, mi mejor amiga. Creo que se van a llevar perfectamente. **Ambos** trabajan en hoteles internacionales.
B: O.K. Hagámoslo. **Hablaré** con Luis. **¿qué tal si organizamos algo para**, digamos,… el próximo sábado?
A: ¡Excelente!
B: Sólo que…
A: **¿Qué sucede** ahora?
B: ¿Estás segura de que **se llevarán bien?**
A: ¡Bueno, al menos Luis tendrá una oportunidad para mejorar su inglés! (Ambos ríen)

2 Usemos el idioma

a. Para describir **cómo se ve o se siente una persona** se pueden usar estos verbos:

look	He **looks** angry	Se **ve** enojado
seem	She **seems** sad	**Parece** triste
feel	I **feel** lonely	Me **siento** solo/a

b. Para **sugerir** un plan o una actividad se puede decir:

Why don´t we go to the movies? ¿**Por qué no** vamos al cine?
Why don´t we invite her? ¿**Por qué no** la invitamos?

También se puede sugerir de esta forma:

What about going to a disco? ¿**Qué tal** si vamos a una discoteca?
What about some tea? ¿**Qué tal si tomamos** un poco de té?

c. Para **saber si hay algún** problema, preguntamos:

What's the matter? **¿Qué sucede?**
What's the matter with you? **¿Qué sucede contigo?**
What´s wrong? **¿Qué hay de malo?**
What´s wrong with him? ¿**Le pasa algo malo** a él?

d. Para expresar preocupación se usa: **to be (am-is-are) worried** o **worried about.**

I´**m worried** Estoy **preocupado/a**
I´**m worried about** Luis Estoy **preocupado/a por** Luis
I´**m worried about** my job Estoy **preocupado/a por** mi trabajo

a. **The future** / El futuro.

Para **hablar de planes o intenciones futuras,** puedes usar los auxiliares **"be going to"** y **"will":**

I **am going to** arrange an outing.	**Voy a** organizar una salida.
I **will arrange** an outing.	**Organizaré** una salida.

Oraciones **afirmativas:**

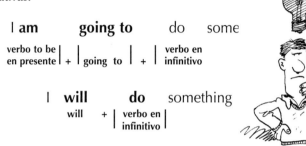

I am		**going to**		do some
verbo to be en presente	+	**going to**	+	**verbo en infinitivo**

I **will**		**do** something
will	+	**verbo en infinitivo**

Puedes usar las contracciones con todas las personas:

I´m / She´s / They´re going to meet next week
You´ll / We´ll / He´ll meet her next week

Ejemplos:

I'm **going to** talk with her.	Yo **voy a** hablar con ella.
She's **going to** invite some friends.	**Ella va** a invitar a algunos amigos/as.
We´**ll** visit Canada soon.	**Nosotros visitaremos** Canadá pronto.
You´**ll** find a job.	**Tú encontrarás** un trabajo.

Oraciones **negativas:**
Se agrega **not** después del **verbo to be** o de **will. Will not** puede contraerse y formar **won´t.**

They´**re not going to** match.	**Ellos no** se van a llevar bien.
She **will not** work there. She **won´t** work there.	Ella **no va a** trabajar allí.

Oraciones **interrogativas**:

Para formarlas el **verbo to be** o **will** se colocan **delante del pronombre:**

I **am going to** buy a car	They **will** meet this Friday
Are you **going** to buy a car ?	**Will** they **meet** this Friday?

Ejemplos:

Are they **going to** call her?	**Will** she **arrive** soon?
When **are** we **going to travel?**	What **will** you tell her?

También se usa **will** cuando **decides algo en el momento en que estás hablando:**

Luis is sad. I´**ll talk** with him.	Luis está triste. **Hablaré** con él.
The telephone is ringing. I'**ll** answer it.	El teléfono esta sonando. Lo **contestaré.**
The restaurant is far. I'**ll** call a taxi.	El restaurant está lejos. **Llamaré** un taxi.

c. Estudiemos estas frases: **both ... and, either... or** y **neither... nor**. Fíjate que se colocan generalmente delante del sustantivo, adjetivo o verbo.

Both ... and. (Ambos/ as - Tanto ...como)

Indica que estoy hablando de dos cosas o personas juntas.

Both girls speak Italian.	**Ambas muchachas** hablan italiano.
Both Bill **and** Annie are my friends.	**Tanto** Bill **como** Annie son mis amigos.

Either ... or (O... o)

Indica una de dos opciones posibles. Se coloca delante del sustantivo, adjetivo o verbo.

He is **either** sad **or** lonely.	Él está **o** triste **o** solo.
She can **either** stay **or** leave.	Ella puede **o** quedarse **o** irse.

Neither ... nor (Ni...ni)

Indica que ninguna opción es posible.

She **neither** phoned **nor** wrote an e-mail.	Ella **ni** telefoneó **ni** escribió un e-mail.
Neither Luis **nor** Bill ate vegetables.	Ni Luis **ni** Bill comieron verduras.

d. Los verbos **be**, **look**, **seem**, **feel** describen **percepciones** y **sensaciones**, y se usan **seguidos de adjetivos:**

	verbo +	adjetivo	
I	**am**	**happy**	Soy **feliz /Estoy contento**
He	**looks**	**angry**	Él **se ve enojado**
They	**feel**	**sad**	Ellos **se sienten tristes**
He	**seems**	**glad**	Él **parece contento**

4 Ejercicios para practicar lo que aprendimos

Las respuestas escritas (Key) están al pie de cada página

a. Escucha el CD y completa los espacios en blanco en el siguiente diálogo: 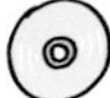

Betty: Hi, Sue. (1).............. the (2)..............?

Sue: I'm worried (3)..............Alan.

Betty: Why? (4)........................... with him?

Sue: He looks (5)...........I (6)...........he (7)...........lonely.

Betty: (8)..............inviting him to a disco?

Sue: I (9)..............it´s a good idea. Let´s phone him.

b. Transforma estas oraciones afirmativas en interrogativas y viceversa:

Ej: You're going to visit Brazil. ***Are you going to visit Brazil?***

Are you going to study Portuguese? ***You´re going to study Portuguese.***

1. She's going to buy some sugar ....?
2. He's going to drink a soda ....?
3. Are they going to have breakfast? ....?
4. He´s going to buy a car ....?
5. Are you going to travel to Peru? ....?

c. Escribe las contracciones que se usan en cada caso. Escucha el CD. 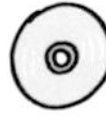

Ej.: He will............. ***He´ll*** visit Mexico

1. I will ....buy it
2. She is going .... to get some ice cream
3. You will ....find a job
4. We are going to ....send a package
5. He will: ....wear a scarf
6. They are going to .... open an account
7. It will ....arrive next week

4a: 1 what´s 2 matter 3 about 4 what´s wrong 5 sad 6 suppose 7 feels 8 what about 9 guess
4b: 1 Is she going to buy some sugar? 2 Is he going to drink a soda? 3 They´re going to have breakfast 4 Is he going to buy a car? 5 You´re going to travel to Peru
4c: 1 I'll 2 She's going to 3 You'll 4 We're going to 5 He'll 6 They're going to 7 It'll

d. Escribe las decisiones que has tomado en estos casos. Ayúdate con las expresiones del recuadro:

take them	clean it up	go jogging	get some	call her

1. What a beautiful day! I´ll ....
2. I don´t have any soda! I´ll ....
3. My apartment is a mess! I´ll ....
4. It´s my sister´s birthday! I´ll ....
5. I like this shoes. I´ll ....

e. Une estas oraciones usando **both... and/ either ... or / neither ... nor.**

Ej: Bill was late. Annie was late. — ***Both*** Bill ***and*** Annie were late.
I can eat fish or chicken. — I can eat ***either*** fish ***or*** chicken.
She didn't write and she didn't phone. — She ***neither*** wrote ***nor*** phoned.

1. He is on vacation. She is on vacation.

....

2. They don't drink and they don't eat meat.

....

3. She was very sad. She was very lonely.

....

4. They like going to the movies or to the theater.

....

4d. 1 go jogging 2 get some 3 clean it up 4 call her 5 take them
4e. 1 Both are on vacation 2 They neither drink nor eat meat 3 She was both sad and lonely 4 They like going either to the movies or to the theater

Unit 26 Meeting new people / Conociendo a personas

Lesson 26

1 Escuchemos el CD

Cada vez que aparezca este ícono puedes escuchar el CD

Bill trata de convencer a Luis para que conozca a alguien.

Bill: Hi, Luis! How are you?
Luis: I'm… tired, I guess…

B: What **are you doing** this weekend?
L: **I'm working tomorrow morning and** then … nothing special.
B: That's not very exciting. You know, Annie called me and told me about her best friend Nicole. She loves Mexico **and** she´s **traveling** there this summer.
L: Thanks Bill, **but** … sorry. I don't feel like meeting anybody right now.
B: Come on, man! It's just meeting someone nice. You'll like her!
L: **But** it was very **hard** when Margarita left me. I don´t want to suffer again.
B: I´m **really** worried about you. How can I help you?
L: I don't know, … I **actually** feel **pretty** bad, I think I´ll stay at home this weekend.
B: Absolutely not! You and Nicole **are meeting** next Saturday. **That's settled!**

L: O.K. I'll try to enjoy it, **but** I can't promise you anything.

Bill: Hola Luis ¿cómo estás?
Luis: Estoy… cansado, supongo …

B: ¿Qué **harás** este fin de semana?
L: **Mañana a la mañana trabajaré** y después, ... nada especial.
B: Eso no es muy divertido. Sabes, Annie me llamó y me contó acerca de su mejor amiga Nicole. Ella adora México **y viajará allí** este verano.
L: Gracias Bill, **pero** ... lo siento. No tengo ganas de conocer a nadie ahora.
B: ¡Vamos, hombre! Es sólo conocer a alguien agradable. ¡Te va a gustar!
L: **Pero** Bill, fue **difícil** cuando Margarita me dejó. No quiero sufrir otra vez.
B: Realmente estoy preocupado por ti. ¿Cómo puedo ayudarte?
L: No lo sé, … **Realmente** me siento **muy mal**, creo que me quedaré en casa este fin de semana …
B: ¡Absolutamente no! Tú y Nicole **se encontrarán** el **próximo** sábado ¡Está resuelto!
L: O.K. Trataré de disfrutarlo, pero no puedo prometerte nada.

a. Para **reafirmar una idea,** se usan las siguientes expresiones:

in fact	de hecho
really	realmente
actually	en realidad / realmente

I like basketball, **in fact**, it's my favorite sport — Me gusta el basquetbol, **de hecho** es mi deporte favorito.

I **really** play well. — **Realmente** juego bien.

Are you **actually** staying here? — ¿Te quedas aquí **realmente?**

b. Para describir algo **difícil** puedes usar el adjetivo **hard:**

It's **hard** to live alone.	Es **duro** vivir solo.
It's a **hard** day.	Es un día **duro / difícil.**
It's a **hard** work.	Es un trabajo **duro.**

c. Para **expresar acuerdo o conformidad** con otra persona, podemos usar las siguientes expresiones:

That's settled!	**¡Está resuelto!**
It's a deal!	**¡Trato hecho!**
I agree with you.	**Estoy de acuerdo contigo.**

d. Los verbos **meet** (conocer / encontrarse) y **know** (saber/ conocer) se usan de la siguiente manera:

Cuando **conoces o encuentras a alguien** por primera vez debes usar **meet:**

Luis **met** Bill in Cancun. — Luis **conoció** a Bill en Cancún.

Cuando **ya conoces a una persona** debes usar **know:**

Bill **knows** Luis very well. — Bill **conoce** muy bien a Luis.

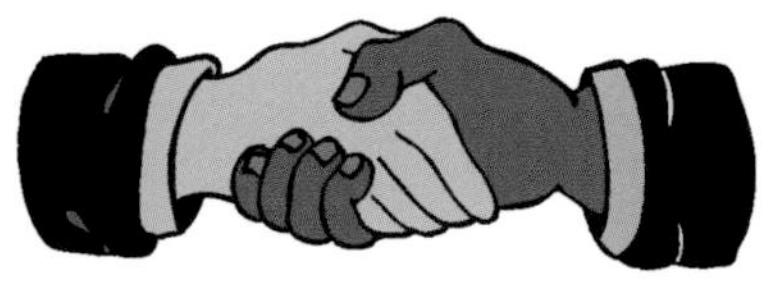

a. Fíjate en estas palabras que **unen o conectan** ideas:

and: y **but:** pero **or:** o

and se usa para **unir** dos palabras, frases o partes de oraciones **que están relacionadas:**

Boys **and** girls.	Chicos **y** chicas.
She likes Mexico **and** Spain.	A ella le gusta México **y** España.
He is sad **and** lonely.	Él está triste **y** solo.

but se emplea para expresar una **diferencia o contradicción:**

I bought a car **but** I don´t use it.	Compré un automóvil **pero** no lo uso.
My apartment is beautiful **but** very small.	Mi departamento es bonito **pero** es muy pequeño.

or conecta generalmente **diferentes opciones:**

He's staying with you **or** at home.	El se quedará contigo **o** en casa.
We´re traveling in the morning **or** in the afternoon	Nosotros viajaremos a la mañana **o** a la tarde.

b. The future /El futuro:

También se puede usar el tiempo **presente continuo** para hablar del futuro, cuando se trata de **planes que ya han sido definidos:**

My parents **are coming** next year.	Mis padres **vendrán** el año próximo.
We´**re having** a party on Sunday.	Nosotros **tendremos** una fiesta el domingo.
Are you **leaving** at 10?	¿**Te irás** a las 10?
Is he **going** out?	**¿Él va a salir?**
They **aren't coming**.	**Ellos no vendrán.**
I'**m not working** this Sunday.	**No trabajaré** este domingo.

c. Veamos algunos **adverbios de tiempo** que se usan con el futuro:

soon: pronto
this { afternoon: esta tarde / evening: esta noche }
tonight: esta noche

tomorrow: mañana
tomorrow { **morning:** mañana a la mañana / **afternoon:** mañana a la tarde / **evening:** mañana a la noche }

next week: la **próxima** semana
month: el **próximo** mes
year: el **próximo** año

Se usan generalmente **al final de la oración:**

He´s arriving **soon.**	Él llegará **pronto**.
I´m having a party **this evening**.	Tendré una fiesta **esta noche.**
I´ll invite her to dinner **tonight.**	La invitaré a cenar **esta noche.**
I´m going to travel to Brazil **tomorrow.**	Viajaré a Brasil **mañana**.
I´m starting in my new job **next week.**	Comenzaré en mi nuevo trabajo **la semana próxima.**

d. Los adverbios **very** (muy), **pretty** (muy) y **quite** (bastante) se usan delante de adjetivos para reforzar o enfatizar su significado:

Sustantivo pronombre	**+ verbo +**	**adverbio**	**+ adjetivo**	
Japanese	is	**very**	difficult.	El japonés es **muy** difícil.
This movie	is	**pretty**	funny.	Esta película es **muy** divertida.
This book	is	**quite**	good.	Este libro es **bastante** bueno.

Otros ejemplos:

Is the trip **very** long?	¿Es **muy** largo el viaje?
Their new apartment is **pretty** big.	Su nuevo departamento es **muy** grande.
I´m not **quite** sure.	No estoy **bastante** seguro.

4 Ejercicios para practicar lo que aprendimos

Las respuestas escritas (Key) están al pie de cada página

a. Unir las siguientes frases usando los conectores and / but / or

Ej: She's buying a blue dress. She's buying a red hat.
She's buying a blue dress ***and*** a red hat.

1. He likes football. He also likes basketball.

....

2. She's bringing some wine. She's not bringing any beer.

....

3. They love Mexican food. They hate Chinese food.

....

4. Is he going to travel to Puerto Rico? Is he going to travel to Venezuela?

....

5. They can talk about movies. They can talk about music, too.

....

b. Escucha el CD y completa la conversación con la forma futura adecuada de los verbos entre paréntesis.

A: What (1)..............you..............(do) this weekend?

B: I (2)..............(have) a barbecue on Sunday.

A: Who (3)..............(come)?

B: All my neighbors and some friends from the office (4).............. (come), too.

A: (5)..............you..............(invite) me too?

B: Of course! Sorry, I forgot to tell you!

A: It's O.K. So I (6)..............(see) you on Sunday. Bye!

4a: 1 and 2 but 3 but 4 or 5 and
4b: 1 are - doing 2 'm having 3 's coming 4 are coming 5 are – inviting 6 'll see

c. ¿Son correctas estas oraciones? Si no fuera así, corrige los errores.

1. I´m traveling to Boston last Friday.

....

2. She will going to study Spanish.

....

3. We´re working this weekend.

....

4. I´m going to invite both Annie or Bill.

....

5- I like swimming but jogging.

....

6- She enjoyed the movie. It was quite interesting.

....

7- You can stay either here and at the hotel.

....

d. What is Annie going to do next week? Completa su agenda usando alternativamente going to o presente continuo como en el ejemplo:

a **Monday**
visit her friend Nicole
b **Tuesday**
study for the Spanish test
c **Wednesday**
have a meeting in the office

d **Thursday**
go to the supermarket
e **Friday**
play tennis with a friend
f **Saturday**
relax!

a. She´s *visiting her friend Nicole* o She´s *going to visit her friend Nicole*

b. She´s ....

c. She´s..

d. She´s..

e. She´s..

f. She´s..

4c: 1. next (last) 2. go (going) 3. correcta 4. and (or) 5. and (but) 6. correcta 7. or (and)
4d: b. She´s studying / going to study for the Spanish test c. She´s having/going to have a meeting in the office d. She´s going/ going to go to the supermarket e.She´s playing / going to play tennis with a friend f. She´s relaxing /going to relax!

Lesson 27

1 Escuchemos el CD

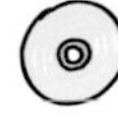

Cada vez que aparezca este ícono puedes escuchar el CD

Lunes a la noche. Llueve mucho. Luis llega a casa del trabajo, sin impermeable y muy mojado.

Bill: Holy smoke! Where are you coming from? You **must be** soaked to the bones! Where's your raincoat?

Luis: I'm coming from work. **It wasn't raining when I left** this morning. It was **wet** and **windy**, but **the sun was shining.** Is it always like this in **winter?**

B: Yes, the weather in **winter** is **cold** and **rainy** here. **I was listening** to the weather forecast **while I was making** some coffee, and it's going to **rain** the whole week! And **the temperature** will be around 45°. Very **cold!**

L: 45°? That´s not cold! That´s very **hot!**

B: No, remember it´s different here. **45° Farenheit** is around **7° Celsius.**

L: Oh, yes, you´re right! I always forget!

B: Well, you have to take an umbrella when you leave for work. In the morning it's cold and **sunny**, but in the afternoon it's **cloudy** and gray ... you never know ...

L: (sneezing) Oh, no! Now I **have a cold**!

B: Yes, you **must** be wet. Go and change your clothes. I'll prepare some hot tea.

L: Thanks Bill, you're a good friend.

Bill: ¡Santo cielo! ¿De dónde vienes? ¡**Debes de estar** empapado hasta los huesos! ¿Dónde está tu impermeable?

Luis: Vengo del trabajo. **No estaba lloviendo cuando me fui** esta mañana. Estaba **húmedo** y **ventoso,** pero el sol **estaba brillando**. ¿Es siempre así en **invierno**?

B: Sí, el tiempo en invierno es **frío** y **lluvioso** aquí. Yo **estaba escuchando** el pronóstico del tiempo **mientras** estaba preparando café, y ¡**lloverá** toda la semana! Y la temperatura será de **45°** aproximadamente. ¡Muy frío!

L: ¿45°? ¡Eso no es frío! ¡Eso es muy **caluroso**!

B: No, recuerda que aquí es diferente. **45° Fahrenheit** son aproximadamente **7° Celsius.**

L: ¡Ah, tienes razón! ¡Siempre me olvido!

B: Bueno, tienes que llevar un paraguas cuando sales a trabajar. A la mañana hace frío y está **soleado**, pero a la tarde, está **nublado** y gris... nunca se sabe.

L: (estornudando) ¡Ah, no! ¡Ahora **tengo un resfriado!**

B: Sí, **debes de** estar mojado. Ve y cámbiate la ropa. Te prepararé un té caliente.

L: Gracias, Bill. Eres un buen amigo.

2 Usemos el idioma

a. The weather/ El tiempo
Cuando deseas **saber el estado del tiempo,** preguntas:

What´s the weather like today?	**¿Cómo está el tiempo** hoy?
How´s the weather?	**¿Cómo está el tiempo?**
What was it like yesterday?	**¿Cómo estuvo** ayer?

Estos **sustantivos** están **relacionados con el tiempo:**

Rain	Lluvia
Sun	Sol
Wind	Viento
Cloud	Nube
Snow	Nieve

Para **contestar preguntas sobre el tiempo**, se usa el verbo **to be** y se agrega **"y"** al final del sustantivo:

It´s rainy	Está lluvioso
It´s sunny	Está soleado
It´s windy	Está ventoso
It´s cloudy	Está nublado

b. Para **saber la temperatura** preguntas:

What´s the temperature?	¿Cuál es la temperatura?
45° (forty-five degrees)	45° (cuarenta y cinco grados)

Recuerda que en los Estados Unidos se usa el **sistema Fahrenheit.** 32° Fahrenheit equivalen a 0° Celsius.

Observa los **adjetivos relacionados con la temperatura:**

cold frío **hot** caluroso **cool** fresco
warm cálido **wet** húmedo

It's **hot** and **sunny**	Está **caluroso** y **soleado**.
It was **cold** and **wet**	Estuvo **frío** y **húmedo**.

c. The seasons/ Las estaciones

winter: invierno **spring: primavera**

summer: verano **fall: otoño**

3 Estudiemos la gramática

a. Para **hablar del tiempo,** se usa como sujeto el pronombre **"it" + el verbo**. En español **"it"** no se traduce:

It's raining	Está lloviendo
It's snowing	Está nevando
It rains	Llueve
It snows	Nieva

También puedes usar el pronombre **"it"** + verbo **to be** + **adjetivo:**

It's rainy	Está **lluvioso**
It's **a** rainy day	Es un día **lluvioso**

b. Cuando se expresa una **conclusión,** se usan los auxiliares **"must"** o **"can´t"** seguido de **"be"**:

It **must be** snowing	**Debe de** estar nevando
It **must be** windy	**Debe de** estar/ser ventoso
It **can't be** raining	**No puede** estar lloviendo
It **can't be** rainy	**No puede** estar/ser lluvioso

c. Past Continuous/ El Pasado Continuo:
Este tiempo verbal se forma con el verbo to be en pasado **(was/were) + otro verbo** terminado en **"ing":**

I was listen ing to the weather forecast
To be |+| **listen** |+| **ing**
Yo **estaba escuchando** el pronóstico del tiempo

Puedes usarlo para:

1 Describir lo que estaba ocurriendo en un momento determinado del pasado:

ΩGeneralmente se menciona el momento determinado:

Bill and Luis **were listening** to the weather forecast at **6:00 p.m. yesterday.**
Bill y Luis **estaban escuchando** el pronóstico del tiempo **ayer a las 6:00 de la tarde.**

o se menciona otra acción que también sucede en el pasado usando:
when (cuando) + **el pasado simple (simple past):**

past continuous → simple past

It **wasn´t** raining **when** I **left** this morning.
No estaba lloviendo cuando **me fui** esta mañana.

Describir dos acciones que estaban ocurriendo simultáneamente en el pasado, con "while" (mientras):

Bill **was studying while** Luis **was cooking.**
Bill **estaba estudiando mientras** Luis **estaba cocinando.**

Luis **was sleeping while** Bill **was studying.**
Luis **estaba durmiendo mientras** Bill **estaba estudiando.**

Veamos como se forman los diferentes tipos de oraciones:

Afirmaciones

I **was listening**	We **were listening**
You **were studying**	You **were studying**
He **was cooking**	
She **was studying**	They **were studying**
It **was raining**	

Negaciones: se forman agregando **not** entre el verbo **to be** y el **otro verbo**. Puedes usar las **contracciones wasn´t y weren´t.**

I **was not/wasn't listening**	We **were not/weren't listening**
You **were not/weren't studying**	You **were not/weren't studying**
He **was not/wasn't cooking**	
She **was not /wasn't studying**	They **were not /weren't studying**
It **was not/wasn't raining**	

Preguntas: Se forman colocando **primero el verbo** y **después el pronombre:**

Was I **listening**?	**Were** we **listening**?
Were you **studying**?	**Were** you **studying**?
Was he **cooking**?	
Was she **studying**?	**Were** they **studying**?
Was it **raining**?	

4 Ejercicios para practicar lo que aprendimos

Las respuestas escritas (Key) están al pie de cada página

a. Mira las imágenes y contesta la pregunta: ***What's the weather like?***

1.It's.................

2.It's.................

3.It's.................

4.It's.................

5.It's.................

b. Escucha el CD y completa estos diálogos: 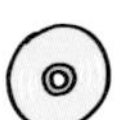

A: What's the weather (1).................?

B: I don't know. It (2).................be cold, everybody is wearing gloves and jackets.

A: What is (3).................like in (4).................?

B: It's very (5).................and sunny

A: Is it (6).................today?

B: In the (7).................it's always windy.

c. Ahora lee las definiciones y completa las palabras:

Definiciones

1. It's very cold in this season.
2. It's very hot in this season.
3. This season begins on September 21st.
4. What´s the ....? It´s 40°.
5. Not cold.
6. It's always this way when it's rainy.
7. You can see many flowers in this season.

W _ _ _ _ _

_ _ _ _ **E** _

_ **A** _ _

T _ _ _ _ _ _ _ _ _ _

H _ _

_ **E** _

_ _ **R** _ _ _

4a: 1 windy 2 rainy 3 snowy 4 sunny 5 cloudy 4b: (1). like (2). must (3). it (4). summer (5). hot (6). windy (7).fall 4c: 1. winter 2.summer 3.fall 4.temperature 5.hot 6.wet 7.spring

d. Escucha el CD y completa los diálogos: 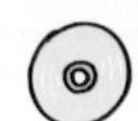

1. **Jack:** What........... you doing yesterday at 8:00 in the evening?

   Sarah: I was .... t.v and ....dinner.

2. **Sarah**:............ you and Bill studying yesterday evening?

   Jack: No, we .... We........... listening to music.

3. **Tom:** Was Sarah............ with you yesterday?

   Jack: No, she wasn´t. She was .... t.v ....we .... studying.

4. **Jack**: What...........you doing........... I called?

   Tom: I was............

e-Elige la palabra entre paréntesis que sea correcta:

Ej: I (was / were) cooking dinner at 5:00.

1. Jack and Sarah (were / was) studying on Monday.
2. She (was / were) making coffee (while / when) I arrived.
3. We (was / were) watching t.v while her sister (slept / was sleeping).
4. He was (reading / read) some books when I called.
5. They (was / were) leaving the office when I (met / meeting) them.

4d: 1 were /watching –cooking 2 Were / weren´t-were 3 studying/ watching –while-were 4 were-when/sleeping
4e: 1-were 2-was-when 3-were-was sleeping- 4- reading 5-were-met

Unit28 Health problems / Problemas de salud

Lesson 28

1 Escuchemos el CD

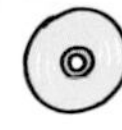

Cada vez que aparezca este ícono puedes escuchar el CD

Al día siguiente Luis se siente mal y va a la farmacia. El vendedor le da algunos consejos.

Clerk: Good morning, sir. How can I help you?
Luis: I **suppose** I´**ve got** a cold. I´ve got a **headache** and I´m **coughing**. I've got a terrible **sore throat**, too. **It hurts** a lot!
C: Let me take your pulse … Yes, **you´ve got a fever.**
L: Do you think I **should** take some aspirin?
C: I think **you'd better** see a doctor. You must have a bad cold.
You **should** take a **painkiller** and some **cough syrup** until the doctor gives you an antibiotic.
L: Can you give me an **antibiotic** now?
C: I´m sorry, but antibiotics are not **OTC products**.
L: What does OTC mean?
C: It means that you don't need a prescription.
L: O.K. I'll take this **painkiller** and the syrup, too. How much is it?
C: $25
L: Here you are. Thank you very much for your advice.
C: You're welcome.

Vendedor: Buen día, señor. ¿En qué puedo ayudarlo?
Luis: Supongo que tengo un resfriado. Tengo **dolor de cabeza** y **estoy tosiendo**. Tengo un terrible **dolor de garganta**, también. ¡**Duele** mucho!
V: Déjeme tomarle el pulso… Sí, **tiene fiebre.**
L: ¿Cree que **debería** tomar algunas aspirinas?
V: Creo que **le conviene** ver a un médico. Debe de tener un fuerte resfriado. **Debería** tomar un analgésico y un **jarabe para calmar la tos** hasta que el médico le de un **antibiótico**.
L: ¿Puede darme un antibiótico ahora?
V: Lo siento, pero los antibióticos no son productos de **venta libre**.
L: ¿Qué significa venta libre?
V: Significa que no necesita una receta del médico.
L: De acuerdo, llevaré este analgésico y el jarabe también. ¿Cuánto le debo?
V: US$25
L: Aquí tiene. Muchísimas gracias por su consejo.
V: No hay de qué.

a. Para **dar tu opinión,** puedes decir:

I **think** (pienso/creo) I **suppose** (supongo) I **guess** (me parece)

I **think** it´s a good idea	**Pienso** que es una buena idea
I **suppose** you´re right	**Supongo** que tienes razón
I **guess** she´s angry	Me **parece** que está enojada

b. Cuando tienes un **problema de salud**, puedes decir:

I don´t feel well	No me siento bien
I´ve got a fever	Tengo fiebre
I´ve got a headache	Tengo dolor de cabeza
I have a sore throat	Tengo dolor de garganta
I have a toothache	Tengo dolor de muelas
I have a stomachache	Tengo dolor de estómago
It hurts	Me duele

c. Los medicamentos que se compran sin receta -de venta libre- se denominan **"OTC"**, que quiere decir **"over the counter"** (en el mostrador). Puedes comprar:

painkillers / pain relievers	calmantes / analgésicos
syrup	jarabe
cold medicines	medicamentos para el resfriado
medicines for indigestion	medicamentos para la indigestión

d. Ya has aprendido las partes de la cara. Estudiemos el resto del cuerpo. Escucha la pronunciación en el CD:

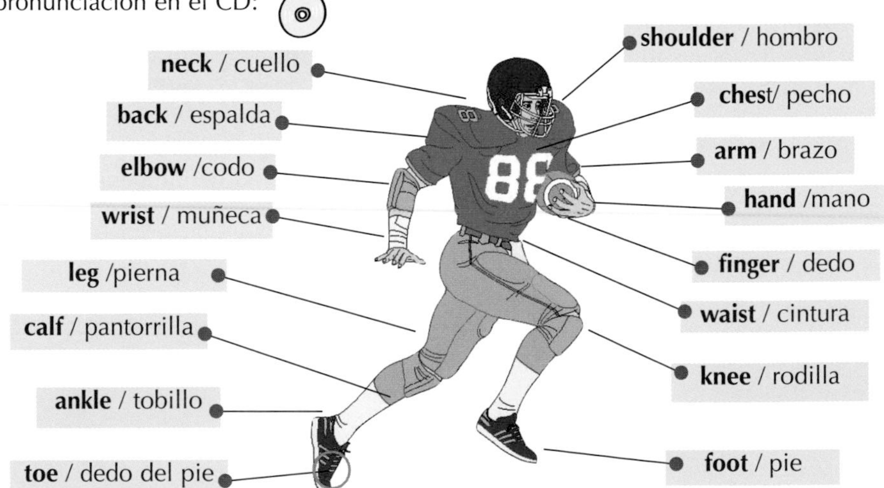

3 Estudiemos la gramática

a. Cuando **sugieres algo** o **das un consejo,** debes usar **should/had better (´d better)** antes del verbo:

You **should** take some aspirin	**Deberías** tomar aspirinas
You´**d better** wear a raincoat	**Sería mejor que** usaras un impermeable
You´**d better** go now.	**Sería mejor que** te fueras ahora
She´**d better** stay in bed.	**Sería mejor que** ella se quedara en cama

o sus formas negativas **should not (shouldn´t)/had better not (´d better not)**

You **shouldn´t** go out in this rain	**No deberías** salir con esta lluvia
She **shouldn´t** go to work	Ella **no debería** ir al trabajo
You´**d better not** go out	**Sería mejor que no** salgas
He´**d better not** play tennis	**Sería mejor que él no** juegue al tenis

b. Para **pedir consejos**, debes usar **should en forma interrogativa**:

What **should** I do now?	¿Qué **debería** hacer ahora?
Should I stay at home?	**¿Debería** quedarme en mi casa?
Should I take some aspirin?	**¿Debería** tomar aspirinas?

c. Algunos **sustantivos** que se refieren a **partes del cuerpo** toman una forma especial cuando son usados en p**lural:**

Singular	Plural
Tooth (diente)	Teeth (dientes)
Foot (pie)	Feet (pies)
Calf (pantorrilla)	Calves (pantorrillas)

d. En la ***Unidad 2*, *Lección 2B*** estudiamos **have/has**, que significa **"tener"**. También puedes usar **have got / has got,** con el mismo significado.
Las contracciones son **´ve got / 's got**. Veamos ejemplos:

I **´ve got**	a headache	Tengo dolor	de cabeza
	a stomachache		de estómago
	a backache		de espalda
	a toothache		de muelas

She ´s got	a sore throat	Ella tiene	dolor de garganta
	sore eyes		los ojos irritados

e. La palabra **cold** cambia de significado según se la use con el verbo **to have/have got** o **to be:**

I**´ve got** a cold	Tengo un resfriado
I**´m** cold	Tengo frío

4 Ejercicios para practicar lo que aprendimos

Las respuestas escritas (Key) están al pie de cada página

a. Escucha el CD y completa los espacios en blanco:

Patient: Dr.Taylor, my leg (1)..................

Dr.Taylor: Let's see... Where? Here, in your (2)....................?

Patient: Oh, yes! (3)..................

Dr. Taylor: Did you take any (4)..................?

Patient: Yes, tomorrow I have a football match and I need to be all right.

Dr. Taylor: Sorry, but you (5)..................move your leg.

Patient: You (6)..................joking. I have to play that match.

Dr. Taylor: It isn´t a joke. Take my (7)..................

Patient: (8) ....in bed?

Dr. Taylor: That´s not necessary. But you (9).................. rest!

b. Mira las figuras y escribe lo que le sucede a esa persona:

1. My arm ....
2. I 've got an ....
3. He´s got a ....
4. My leg ....

c. Completa las oraciones usando:

should –´d better (**A:** Afirmativo)
shouldn´t – ´d better not (**N:** negativo) **should** (**I:** interrogativo)

1. .... she stay in bed? (**I**)
2. You .... drink alcohol. (**N**)
3. She .... call a doctor. (**A**)
4. You .... go out. (**N**)
5. They.................. get a painkiller (**A**)
6. .... I drink a lot of water? (**I**)

4a. 1 hurts 2 calf 3 It hurts me a lot 4 aspirin 5 shouldn't 6 must be 7 advice 8 Should I stay 9 ´d better
4b. 1 hurts 2 earache 3 toothache 4 hurts
4c 1 should 2 Shouldn't/'d better not 3 ´d better/should 4 ´d better not/shouldn't 5 should/'d better 6 Should

d. Haz un círculo en la palabra que no pertenezca al grupo.
El número ***1*** te sirve de ejemplo.

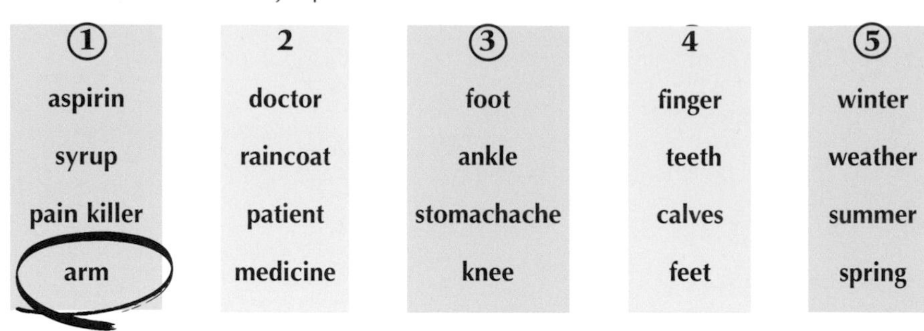

1	2	3	4	5
aspirin	doctor	foot	finger	winter
syrup	raincoat	ankle	teeth	weather
pain killer	patient	stomachache	calves	summer
arm	medicine	knee	feet	spring

e. Usa **´ve got/ ´s got/ am/ is/ are** en las siguientes frases:

1. She .... cold.
2. You .... a fever.
3. I .... a cold.
4. We .... hot.
5. He .... a toothache.
6. I .... sore eyes.
7. I .... tired.

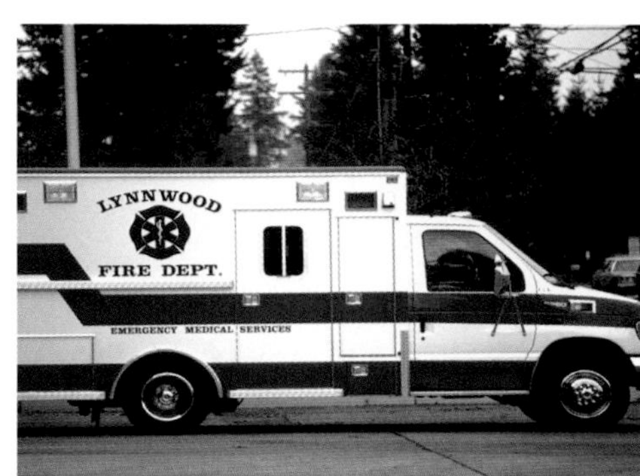

f. Une con flechas las palabras de la columna A con las de la B:

A	B
1. I´m	a. take some aspirin
2. A sore	b. ache
3. A tooth	c. cold
4. I've got	d. throat
5. You should	e. a cold

g. Escucha el CD y marca la parte del cuerpo de la que se habla: 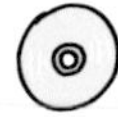

1 throat - head - stomach

2 teeth - neck - arm

3 leg - arm - neck

4 head - neck - leg

5 back - shoulder - head

4d. 2 raincoat 3 stomachache 4 finger 5 weather
4e. 1 is 2 ´ve got 3 ´ve got 4 are 5 ´s got 6 ´ve got 7 am
4f. 1 c 2 d 3 b 4 e 5 a
4g. 1 throat (I´ve got a sore throat) 2 teeth (I´ve got a terrible toothache) 3 legs (My legs hurt) 4 head (I don´t feel very well. I have a terrible headache). 5 back (I should stay in bed. I have a backache)

Unit29 Eating out / Comiendo fuera

Lesson 29

1 Escuchemos el CD

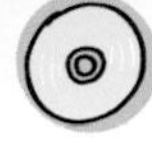

Cada vez que aparezca este ícono puedes escuchar el CD

Luis y Nicole están cenando en un restaurante cerca del Pier 39.

Luis: So, you´re Annie's best friend.

Nicole: Yes, we **'ve been** friends for 6 years.

L: Are you from Seattle too?

N: Yes, but I'**ve lived** here **since 1996.**

Waiter....?: Good evening, I´m Jim, **how can I help you?**

Luis: Good envening. **Could I have the menu, please?**

W: Sure. Here you are.

L: Let´s see ... Nicole, what would you like to eat as a starter?

N: Oh, ... **I´d like** the fried **shrimps.** They are delicious.

L: I´ll try ... the mixed **vegetables** salad.

W: (repeating)... fried shrimps, ... vegetable salad ... that´s fine. And then?

N: I think **I´ll have** the spaghetti with cream and mushrooms.

L: And **I'll have** the steak with baked potatoes and onions.

W: How do you want the steak?

L: Medium, please.

W: Very well. **What would you like** to drink?

L: What about beer?

N: That´s fine with me.

W: Thank you very much. I´ll bring it right away.

Luis: Así que eres la mejor amiga de Annie.

Nicole: Sí, **hemos sido** amigas **durante** seis años.

L: ¿Eres de Seattle también?

N: Sí, pero he vivido aquí desde 1996.

Mesero: Buenas noches, soy Jim. **¿En qué puedo ayudarlos?**

Luis: Buenas noches. **¿Podría ver el menú, por favor?**

M: Seguro. Acá tienen.

L: Veamos, ... Nicole, ¿qué quisieras comer como entrada?

N: Quisiera los camarones fritos. Son deliciosos.

L: Yo probaré la ensalada mixta de verduras.

M: (repitiendo) camarones fritos, ... ensalada de verduras ... bien. ¿ Y luego?

N: Creo que **comeré** los espagueti con crema y hongos.

L: Y yo comeré la carne con papas y cebollas al horno.

M: ¿Cómo prefiere la carne?

L: Medianamente cocida, por favor.

M: Muy bien. ¿Qué les gustaría para beber?

L: ¿Qué tal cerveza?

N: Por mí está bien.

M: Muchísimas gracias. Se la traeré de inmediato.

2 Usemos el idioma

a. En un restaurante, **el mesero puede usar algunas de estas frases:**

How can I help you?	**¿En qué puedo ayudarlo?**
Are you ready to order?	**¿Están listos para pedir?**
Can I take your order?	**¿Puedo tomar su pedido?**
What can I get you?	**¿Qué puedo traerle?**
What would you like to drink?	**¿Qué quisiera para beber?**
Anything to drink?	**¿Algo para beber?**

b. Para responder, puedes decir:

I´ll have { the fried shrimp, please / the onion rings — **Pediré** { los camarones fritos, por favor / los anillos de cebolla

I´d like { the vegetarian lasagne / the steak with potatoes — **Quisiera** { la lasagna vegetariana / carne asada con papas

I´ll try { the mixed vegetables salad / the melon with ham — **Probaré** { la ensalada mixta de verduras / el melón con jamón

c. Las formas de pedir la cocción de una porción de carne son las siguientes:

rare	**jugosa/poco asada**
medium	**medianamente cocida**
well done	**bien cocida**

d. Veamos los utensilios que se usan para comer:

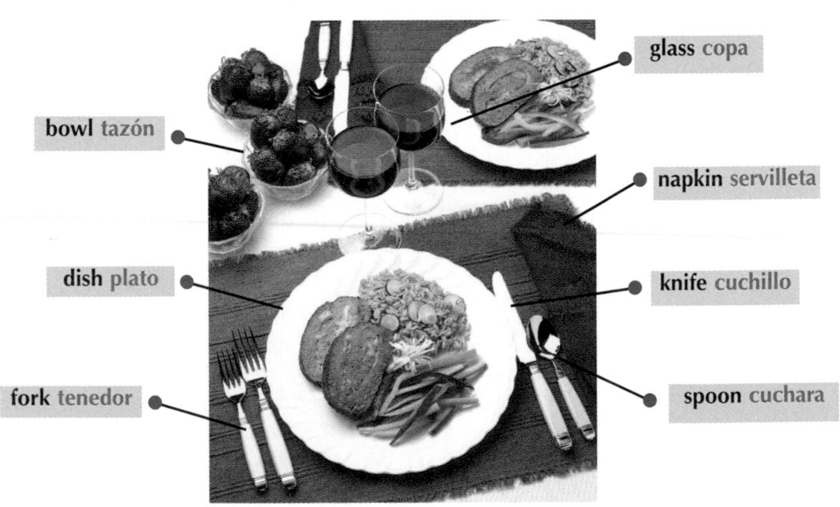

3 Estudiemos la gramática

a. Veamos como formar los plurales de los sustantivos:

		Singular	Plural
General	se agrega una **s** en el plural	salad, drink, shrimp, mushroom, vegetable, zoo	salads, drinks, shrimps, mushrooms, vegetables, zoos
Excepciones Palabras terminadas en:	consonante + **y** ► **ies**	party, baby	parties, babies
	vocal + **y** ► **s**	key, day	keys, days
	f /fe ► **ves**	shelf, knife	shelves, knives
	después de **s,ch, sh, x, z** ► **es**	dish, peach, glass, tax	dishes, peaches, glasses, taxes
	consonante + **o** ► **es**	tomato, potato	tomatoes, potatoes

Casos en los que el sustantivo cambia:

child niño	**children** niños	**tooth** diente	**teeth** dientes
man hombre	**men** hombres	**foot** pie	**feet** pies
woman mujer	**women** mujeres	**person** persona	**people** personas/gente

b. Present Perfect /Presente Perfecto: Cuando hablamos de un hecho que comenzó en el pasado pero continúa en el presente usamos este tiempo verbal.

I **have lived** here since 1993 **He vivido** aquí desde 1993

Se forma con el auxiliar **have / has + el pasado participio** del verbo.

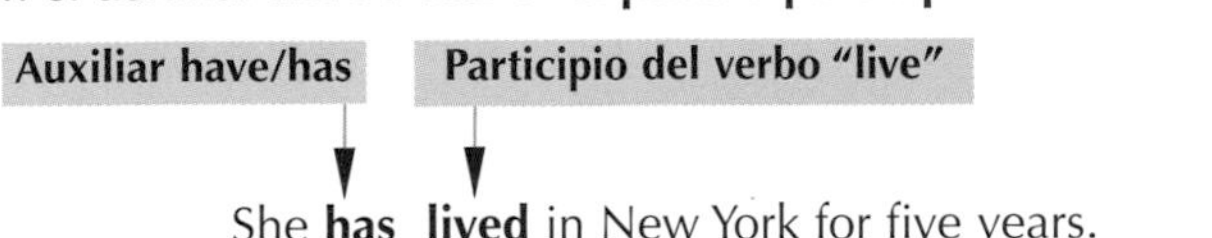

She **has lived** in New York for five years.

I **have worked** in tourism since 2001.
He trabajado en turismo desde el 2001.(*todavía sigo trabajando*)

She **has written** to him for years.
Ella le ha escrito a él durante años.(*todavía sigue escribiéndole*)

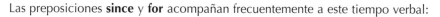

Las preposiciones **since** y **for** acompañan frecuentemente a este tiempo verbal:

for indica la duración de la acción:

They have worked at the hotel **for** 4 months. / 2 years. / a long time.
Han trabajado en el hotel **durante** 4 meses. / 2 años. / un largo tiempo.

since indica el momento en que comenzó la acción:

We have rented this apartment **since** 1998. / September. / last year.
Hemos alquilado este departamento **desde** 1998. / Septiembre. / el año pasado.

d. Agregaremos al cuadro que estudiamos en la ***U6, Lesson 6B*** los participios de los verbos. Observarás que en el caso de los verbos regulares, el participio se escribe igual que el pasado.

Presente	**Pasado**	**Participio**
answer	answered	answered(respondido)
ask	asked	asked (preguntado)
cook	cooked	cooked (cocinado)
enjoy	enjoyed	enjoyed (disfrutado)
help	helped	helped (ayudado)
invite	invited	invited (invitado)
like	liked	liked (gustado)
live	lived	lived (vivido)
look	looked	looked (mirado)
love	loved	loved (amado)
open	opened	opened (abierto)
prefer	preferred	preferred (preferido)
play	played	played (jugado)
rent	rented	rented (alquilado)
recommend	recommended	recommended (recomendado)
start	started	started (comenzado)
study	studied	studied (estudiado)
suggest	suggested	suggested (sugerido)
travel	traveled	traveled (viajado)
want	wanted	wanted (querido)
watch	watched	watched (mirado)
work	worked	worked (trabajado)

Ahora observa el participio de algunos verbos irregulares.

Presente	Pasado	Participio
am-is-are	was-were	been (sido-estado)
come	came	come (venido)
do	did	done (hecho)
drink	drank	drunk (bebido)
eat	ate	eaten (comido)
feel	felt	felt (sentido)
go	went	gone (ido)
have	had	had (tenido)
know	knew	known (conocido)
meet	met	met (conocido)
put	put	put (puesto)
see	saw	seen (visto)
send	sent	sent (enviado)
sleep	slept	slept (dormido)
speak	spoke	spoken (hablado)
spend	spent	spent (gastado)
take	took	taken (tomado)
teach	taught	taught (enseñado)
tell	told	told (contado)
write	wrote	written (escrito)

4 Ejercicios para practicar lo que aprendimos

Las respuestas escritas (Key) están al pie de cada página

a. Mira las imágenes y escribe el plural

Ej.: I love ***oranges***

1. I can't see well. I need ....
2. The .... are playing in the garden.
3. These blouses are for tall ....
4. Please, we'll have two shrimp ....
5. Who is washing the .... tonight?
6. I'll buy some..........., ... and....................

4a. 1 glasses 2. children 3. women 4. salads 5. dishes 6. apples, bananas and pears.

b. Encontrar el error y corregirlo
Ej: The man are playing soccer The ***men*** are playing soccer

1. The childs are at school. ....
2. Place the knifes next to the forks ....
3. Let's have some drinkes. ....
4. A lot of peoples came to the concert. ....
5. Mouses love cheese. ....
6. They came with their wifes. ....

c. Ordenar las siguientes oraciones:
Ej: arrived/ she/ has She ***has*** arrived

1. have/ in/ N.Y. / I / lived/ January / since ....
2. Spanish/ he/ studied/ one year/ for/has ....
3. her/ I/ letters/have/sent/for five years ....
4. for a month/She/ in / has/ Boston/ lived/ ....
5. since/ he/ worked/ has/there/last Monday ....

d. Escucha el CD y coloca esta conversación en orden. El número 1 ya está resuelto.

a. Anything to drink?
b. That's a good idea. I'd like a steak, please.
c. Are you ready to order?
d. Would you like any meat?
e. Medium, and what can I have for dessert?
f. O.K. I'll have that.
g. Yes, I'd like some green salad.
h. A can of beer, please.
i. Raw, medium or well done?
j. The homemade apple pie is delicious.

1. C 2. ... 3. ... 4. ... 5. ... 5. ... 6. ... 7. ... 8. ... 9. ... 10. ...

4b. 1. children / 2. knives / 3. drinks / 4. people / 5. mice / 6. wives
4c. 1. I have lived in N.Y. since January 2 He has studied Spanish for 1 year. 3 I have sent her letters for five years 4 She has lived in Boston for a month 5 He has worked there since last Monday.
4d.. 1c 2g 3a 4h 5d 6b 7i 8e 9j 10f

Unit 30 At the restaurant / En el restaurante

Lesson 30

1 Escuchemos el CD

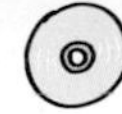

Cada vez que aparezca este ícono puedes escuchar el CD

Luis y Nicole están cenando y conociéndose.

Nicole: Tell me, how **did** you meet Bill?
Luis: That **was** when he **traveled** to Mexico in 1998.
N: Oh, so you´**ve been** friends for a long time too.
L: Yes, and **we´ve lived** together for seven months.
N: And do you like living in the States?

L: Well, I'**ve spent** some hard moments **since** I arrived here. But now I have a job, and things are getting better. By the way, **have** you **ever been to** Mexico?
N: No, **I haven´t.** I'm traveling next summer.
L: Well, that´s great. I can show you some pictures of beautiful places to visit!
N: That would be great!
L: Would you like to go for a walk? It´s a wonderful evening!
N: Yes, I´d love to. Let´s go.
L: (to the waiter) **Could I have the check**, please?

Nicole: Dime ¿cómo **conociste** a Bill?
Luis: Eso **fue** cuando él **viajó** a México en 1998.
N: Ah, entonces han sido amigos durante un largo tiempo también.
L: Sí, y **hemos vivido** juntos durante siete meses.
N: ¿Y te gusta vivir en los Estados Unidos?
L: **He pasado** algunos momentos difíciles desde que llegué aquí. Pero ahora tengo un trabajo y las cosas están mejorando. A propósito, ¿**has estado alguna vez** en México?
N: **No, no he estado**. Viajaré el próximo verano.
L: ¡Bueno, eso es fantástico! Puedo mostrarte algunas fotografías de lugares hermosos que puedes visitar.
N: ¡Me encantaría!
L: ¿Te gustaría ir a caminar? ¡Es una noche hermosa!
N: Si, me encantaría. ¡Vamos!
L: (al mozo) ¿**Podría traerme la cuenta**, por favor?

b.Una típica carta de menú consta de tres partes:

Starters (Entradas)

Onion rings (anillos de cebolla)

Fried shrimp (camarones fritos)

Soup of the day (sopa del día)

Side Dishes (Guarniciones)

Vegetables (verduras)

Sweet corn (choclo)

Baked potatoes (papas asadas)

French fries (papas fritas)

Dressings (Aderezos)

Blue cheese (queso azul)

Oil and vinegar(aceite y vinagre)

Mayonnaise (mayonesa)

Main Dish (Plato principal)

Seafood pasta (pasta c/frutos mar)

Steak (filete)

Fried chicken (pollo frito)

Barbecue ribs (costillitas)

Desserts (Postres)

Peacan pie (tarta de nueces)

Strawberry cheesecake

(torta de queso c/fresas)

Ice cream (helado)

c. Al terminar de comer puedes pedir la cuenta de esta forma:

Could I have the check, please?	¿Podría traerme la cuenta, por favor?
The check, please.	La cuenta, por favor.

3 Estudiemos la gramática

a. Para formar oraciones negativas con el presente perfecto, se agrega **not** después de **have/has:**

I **have not (haven't) seen** my sister for five months.	**No he visto** a mi hermana durante cinco meses.
She **has not (hasn't) written** a letter since he left.	Ella **no ha escrito** una carta desde que él se fue.
We **have not (haven't) worked** in the garden for the summer.	Nosotros **no hemos trabajado** en el jardín durante el verano.

b. Para formar las **preguntas**, **have** o **has** se colocan al **principio de la oración:**

They have lived here for a long time.

Have they lived here for a long time?
How long have they lived here?

Have you **studied** English for a long time?
Has he **worked** for the High Hills Hotel since last year?

En las preguntas, se puede usar el adverbio **ever**, que significa **alguna vez:**

Have you **ever been** to Mexico?	¿**Has estado alguna vez** en México?
Has she **ever tried** Japanese food?	¿**Ha ella probado** alguna vez la comida japonesa?

c. Para contestar con **respuestas cortas** a preguntas por sí o por no, **se usa sólo** el auxiliar **have** o **has:**

Have you ever been to Mexico?	Yes I **have**/No, I **haven´t.**
Have they studied English for a long time?	Yes, they **have**/No, they **haven´t.**
Have they lived here for a long time?	Yes, she **has** /No, she **hasn´t.**

d. Comparemos el **Present Perfect** con el **Simple Past:**

El **presente perfecto** siempre se refiere a algo que **comenzó en el pasado y continúa en el presente**; el **pasado simple**, en cambio, se usa para acciones que han **comenzado y terminado en el pasado.**
Por ejemplo:

verbo en simple past

Annie **worked** in Seattle for 2 years.
Annie trabajó en Seattle durante 2 años. (Annie ya no trabaja más en Seattle).

En cambio:

verbo en present perfect

Annie **has worked** in Seattle for two years.
Annie ha trabajado en Seattle durante 2 años. (Annie todavía trabaja en Seattle).

Bill has studied Marketing since he moved to San Francisco.
Bill ha estudiado Marketing desde que se mudó a San Francisco.

He studied Marketing in Los Angeles before he moved to San Francisco.
El estudió Marketing en Los Ángeles antes de mudarse a San Francisco.

4 Ejercicios para practicar lo que aprendimos

Las respuestas escritas (Key) están al pie de cada página

a. Escucha el CD y completa con present perfect o simple past. 
Ej: I ***went*** (go) to Brazil last summer.

1. She .... (*live*) in Mexico since June.
2. He .... (*graduate*) in Marketing last month.
3. We .... (*study*) a lot yesterday.
4. Tom .... (*see*) that movie last week.
5. Luis .... (*work*) at the hotel since October.
6. You .... (*phone*) yesterday.

b. For or since? Completa los espacios en blanco:

1. Luis has been in San Francisco .... last June.
2. My mother has worked there .... ten years.
3. Lupe has been sick .... four days
4. They have played tennis ....1997.
5. I have studied English .... 3 years.

c. Formula las preguntas.

1. (You / ever / travel / by plane?) ....
2. (She / ever / been / in Cancun?) ....
3. (They / ever / run / a marathon?) ....
4. (He / ever / live / in Boston?) ....
5. (You / ever / visit / Japan?) ....
6. (You / ever / cook/ Mexican food?) ....

4a. 1 has lived 2 graduated 3 studied 4 saw 5 has worked 6 phoned
4b. 1 since 2 for 3 for 4 since 5 for
4c. 1 Have you ever traveled by plane? 2 Has she ever been in Cancun? 3 Have they ever run a marathon?
4 Has he ever lived in Boston? 5 Have you ever visited Japan? 6 Have you ever cooked Mexican food?

d. Lee las oraciones y subraya la forma verbal correcta, como en el ejemplo:
I ***have worked*** here since 2001.

1. Luis lost/has lost his book yesterday.
2. Bill traveled / has traveled to Mexico in 1998.
3. Luis lived / has lived in San Francisco for five months.
4. Nicole was /has been Annie´s friend for 6 years.
5. I have visited /visited my brother last week.
6. They have studied / studied Portuguese two years ago

e. Escucha el CD y completa el diálogo:

1. **Waiter:** ....?
2. **Paul:** What do you suggest as a starter?
3. **W:** ....
4. **P:** OK. I'll have that.
5. **W:** And for main dish?
6. **P:** ....
7. **W:** How would you like the steak, rare, medium or well done?
8. **P:** ....
9. **W:** Anything to drink?
10. **P:** ....

4d. 1 lost 2 traveled 3 has lived 4 has been 5 visited 6 studied
4e. 1 Can I take your order? 3 The green salad is very good 6 I'll have the steak and French fries 8 Well done, please 10 Red wine.

Pronunciación

Guía de pronunciación del inglés americano para hablantes de español

Nuestros objetivos en esta guía de pronunciación son:

- Ofrecerle al hablante de español que está aprendiendo inglés una herramienta práctica y de fácil comprensión para comenzar a familiarizarse con los sonidos y la pronunciación del inglés.
- Proporcionarle los conocimientos básicos necesarios sobre los diferentes sonidos del inglés para que pueda mejorar su pronunciación y entender mejor a los hablantes nativos.

La guía está escrita en un lenguaje claro y simple y está acompañada por un CD que contiene grabaciones hechas por hablantes nativos y te ayudará a aprender a pronunciar las vocales y consonantes del inglés americano.

La guía consta de tres partes:

Primera parte:

Te explicamos brevemente algunas palabras que usaremos a lo largo de la guía.

Te mostramos cuáles son los sonidos de las vocales y las consonantes del inglés americano y los sonidos similares con los que puedes relacionarlos en español.

También incluimos una lista de símbolos que representan a los sonidos del inglés y que han sido elegidos para facilitarte la comprensión cuando los leas y para que puedas reproducirlos fácilmente.

Segunda parte:

Podrás aprender a pronunciar los diferentes tipos de vocales y consonantes del inglés americano siguiendo una explicación muy clara y escuchando ejemplos dichos por hablantes nativos.

Tercera parte:

¿Cómo haces para saber cuando pronunciar cada sonido? ¡Lee esta guía!

Te mostraremos una serie de reglas generales que te servirán de referencia para saber cómo pronunciar las palabras según la manera en que se escriben.

Fíjate en los símbolos que usaremos en la guía:

Los símbolos que usaremos en esta guía no son símbolos fonéticos sino que han sido elegidos para que un hablante de español que recién se acerca al idioma inglés pueda entender fácilmente cómo se pronuncian las palabras leyéndolos.

• Las **comillas** "" las usamos para indicar **letras**:

"a"	"e"	"p"	"m"	"i"	"f"

• Los **corchetes** [ ] los usamos para indicar con qué sonido se pronuncia una vocal o consonante:

[a]	[e:]	[sh]	[ch]	[æ]	[ei]

No debes confundir **"letra"** escrita con el **"sonido"** con el que se pronuncia:

• La letra **"a"** puede pronunciarse con todos estos **sonidos**:

[a:]	[æ]	[ei]	[e]	[o:]

• La **negrita** la usamos para indicar **sonidos** que se pronuncian **con más fuerza o sonoridad** que los que aparecen en letra común:
Ejemplo:

[e] **e**gg	[e] op**e**n	**[z]** **th**anks	[z] **z**ero
[d] **d**ay	[d] **th**ey	**[sh]** **J**ohn	[sh] **sh**ow

• Los **dos puntos :** representan un **sonido prolongado:**

a:	**e:**	e:	i:	o:	u:

• Los **paréntesis ( )** los usamos para escribir la **pronunciación** de una palabra:

big: (b**i**g)	sell : (s**e**l)	sister: (s**í**ste:r)	August. (**ó**:gest)

Veamos las definiciones de algunas palabras que usaremos en esta guía:

- **Vocales:** Son las letras a, e, i, o u

- **Consonantes:** Son las letras b, c, d, f, g, h, j, k, l, m, n, p, q, r, s, t, v,w, x, y, z

- **Sílaba:** Está formada por la combinación de vocales y consonantes y se determina según la pronunciación de la palabra, no la forma en que está escrita, como en español.

name (néim) ► una sílaba

Wednesday (w**én**z . **d**ei) ► dos sílabas

vegetable (v**ésh**.te.bel) ► tres sílabas

- **Sílaba acentuada:** Cuando una palabra tiene más de una sílaba, una de ellas suena con más fuerza que las otras: es la sílaba acentuada. Las palabras de una sílaba siempre son acentuadas. En inglés no existe el acento escrito (´) como en español. Aquí lo usaremos para marcar la sílaba acentuada en la pronunciación de la palabra:

(néim)	(w**én**z**d**ei)	(v**ésh**tesbel)

- **Diptongo:** Es la combinación de dos vocales. En inglés existen los siguientes diptongos cuando pronuncias una palabra:

[au]	[ai]	[ei]	[ou]	[oi]

Primera parte:

Pronunciación de las vocales y consonantes:

Veamos primero los diferentes sonidos con que se pronuncian las vocales en inglés.

Los símbolos de la izquierda representan a los sonidos que estudiaremos. En aquellos casos en que existe un sonido similar en español, lo hemos incluido para que te sirva de referencia.

Sonido	Palabras en las que aparece el sonido	Sonido similar en español
[a]	c**u**p-l**o**ve	-
[a:]	**ar**e- j**o**b	c**a**s**a**-**a**ll**á**
[æ]	h**a**ppy-b**a**g	-
[e]	t**e**n-h**ea**d	**e**l-**e**s**e**
[e]	**a**rrival- less**o**n	-
[e:]	f**ir**st-w**or**k	-
[e:]	sist**er**-doct**or**	-
[i:]	sh**e**-pl**ea**se	s**í**-m**í**
[i]	**i**t-b**i**g	-
[o:]	**a**ll-**Au**gust	-
[u:]	y**ou** –t**oo**	t**u**-**u**na
[u]	l**oo**k-c**ou**ld	-
[au]	h**ow**-**ou**t	**au**to-**au**daz
[ai]	**I**-f**i**ve	h**ay**- b**ai**le
[ei]	d**ay**- **A**pril	l**ey**-s**ei**s
[ou]	**o**h-g**o**	-
[oi]	b**oy**-enj**oy**	h**oy**-s**oy**

Veamos ahora los sonidos con que se pronuncian las consonantes:

Sonido	Palabras en la que aparece el sonido	Sonido similar en español
[b]	**b**ook-ca**b**	tam**b**ién-am**b**os
[d]	**D**ecember-en**d**	**d**ía-**d**edo
[d]	**th**is-bro**th**er	ha**d**a-mi**d**e
[f]	**f**our-co**ff**ee	**f**eliz-o**f**erta
[g]	**g**ood-a**g**o	**g**anar-pon**g**o
[j]	**h**ello-**h**ome	mu**j**er-**g**ente
[k]	**c**ar-li**k**e	**c**asa-**c**osa
[l]	**l**eg-fami**l**y	**l**ibro-a**l**to
[m]	**m**y-**m**ore	**m**iel-a**m**ar
[n]	**n**o-fi**n**e	**n**oche- A**n**a
[ng]	si**ng**-livi**ng**	ta**ng**o-po**ng**o
[p]	**p**a**p**er-soa**p**	**p**a**p**el-**p**are

Sonido	Palabras en la que aparece el sonido	Sonido similar en español
[r]	**r**ight-ve**r**y	pe**r**o-pa**r**a
[s]	**s**ay-pen**c**il	**s**í-**c**ena
[t]	**t**en-frui**t**	**t**é-pa**t**o
[v]	**v**isit-ha**v**e	---
[w]	**w**e-**w**ant	h**u**ir-h**u**eso
[y]	**y**es-law**y**er	h**i**elo-va**y**a
[z]	**z**ero-ea**s**y	mi**s**mo-i**s**la
[z]	**th**ank-tee**th**	a**z**ar-**z**ona
[sh]	**sh**e-Engli**sh**	-------------
[sh]	**J**ohn-**J**uly	-------------
[*sh*]	u**s**ually -deci**s**ion	-------------
[ch]	**ch**ildren-mu**ch**	o**ch**o-**ch**ino

Segunda parte:

Escuchemos en el CD cómo se pronuncian los sonidos de las vocales y los diptongos:

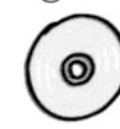

[a] como en **u**p (**a**p):
Este sonido no existe en español. Es un sonido muy corto.

Ejemplos:

up	c**u**p	**o**nion	l**o**ve	w**a**s
us	b**u**t	**o**ther	s**o**me	wh**a**t
uncle	s**u**n	**o**f	M**o**nday	

[a:] como en **a**rm (a:rm):
Este sonido es similar a la "á" acentuada en español:

Ejemplos:

arm	M**a**rch	a l**o**t	w**a**nt
are	w**a**tch	j**o**b	d**a**rk
artist	l**a**rge	st**o**p	f**a**ther

[æ] como en h**a**ppy (jæpi):
Este sonido no existe en español, es una mezcla de "a" y "e".

Ejemplos:

at	h**a**ve	s**a**d	gl**a**ss
and	b**a**g	s**a**ndwich	h**a**ppy
after	c**a**b	h**a**nd	g**a**s

[e] como en **e**gg (**e**g):
Este sonido es similar a la letra "e" en español.

Ejemplos:

egg	t**e**n	h**ea**d
elevator	p**e**n	r**ea**dy
else	l**e**g	br**ea**d
any	t**e**st	w**ea**ther

[e:] como en f**i**rst (f**e:**rst):
Este sonido no existe en español. Ocurre delante de "r", solamente en sílabas acentuadas.

Ejemplos:

early	f**i**rst	l**ea**rn
urgent	th**i**rty	Th**u**rsday
w**e**re	w**o**rse	g**i**rl
w**o**rk	t**u**rn	th**i**rd

[e:] como en aft**er** (æfte:r):
Este sonido no existe en español. Es similar al anterior, también ocurre delante de "r", pero solamente en sílabas no acentuadas.

Ejemplos:

Sat**ur**day	butt**er**	doct**or**
aft**er**noon	mirr**or**	sist**er**
s**ur**prise	fath**er**	broth**er**
butt**er**fly	moth**er**	pap**er**

[e] como en soda (sóu**d**e):
Este sonido no existe en español. Es el sonido que tiene cualquier vocal en inglés que no esté acentuada. Es un sonido muy rápido y corto.

Ejemplos:

ago	**a**rrival
away	phot**o**graph
along	less**o**n
s**u**ppose	cous**i**n

[i:] como en sh**e** (shi:):

Este sonido es similar a la "í" acentuada en español, pero es más prolongado.

Ejemplos:

eat	l**ea**ve	m**e**
easy	pl**ea**se	h**e**
evening	p**ie**ce	s**ee**
either	n**ie**ce	kn**ee**

[i] como en **i**t (it):

Este sonido no existe en español. Es un sonido rápido y corto.

Ejemplos:

is	g**i**ve	gu**i**tar
it	s**i**ck	bu**i**lding
into	m**i**nute	s**y**rup
inch	b**i**g	g**y**m

[o:] como en b**a**ll (bo:l):

Este sonido no existe en español. Es parecido a la "o" pero es más prolongado.

Ejemplos:

off	st**o**re	l**aw**
or	f**a**ll	r**aw**
all	**Au**gust	
always	b**ou**ght	

[u:] como en y**ou** (yu:):

Este sonido es similar a la "ú" acentuada en español, pero es más prolongado.

Ejemplos:

y**ou**	d**o**	aven**ue**
t**oo**	wh**o**	bl**ue**
r**oo**m	sh**oe**	c**oo**l
J**u**ne	n**ew**	st**u**dents

[u] como en c**oo**k (kuk):

Este sonido no existe en español. Es un sonido rápido y corto.

Ejemplos:

c**oo**k	f**oo**t	s**u**gar
g**oo**d	c**ou**ld	w**oo**d
b**oo**k	w**ou**ld	p**u**t
l**oo**k	sh**ou**ld	w**o**man

[au] como en h**ou**se (jáus):
Este diptongo se pronuncia como "au" en español:

Ejemplos:

h**ou**r	eyebr**ow**	cl**ou**d
out	h**ow**	th**ou**sand
ounce	br**ow**n	h**ou**se
n**ow**	d**ow**n	m**ou**se

[ai] como en **I** (ái):
Este diptongo se pronuncia igual que "ai" en español:

Ejemplos:

eye	n**i**ne	h**i**gh
ice	n**i**ce	n**i**ght
b**y**	f**i**ve	wh**y**
cr**y**	fl**i**ght	t**y**pe

[ei] como en d**ay** (**déi**):
Este diptongo se pronuncia igual que "ei" en español.

Ejemplos:

April	t**a**ble	M**ay**
eight	h**a**te	pl**ay**
p**a**per	gr**ay**	aw**ay**
r**ai**n	th**ey**	w**ei**ght

[ou] como en n**o** (nóu):
Este diptongo se pronuncia como "ou" en español.

Ejemplos:

old	b**o**th	hell**o**
only	cl**o**thes	sh**ow**
over	g**o**	sn**ow**
open	ag**o**	sh**ou**lder

[oi] como en b**oy** (bói):
Este diptongo se pronuncia igual que "oi" y "oy" en español.

Ejemplos:

oil	n**oi**se
c**oi**n	p**oi**nt
b**oy**	v**oi**ce
enj**oy**	Illin**oi**s

Escuchemos en el CD como se pronuncian los sonidos de las consonantes: 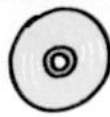

[b] como en **b**ank (bænk):

Se pronuncia de manera similar a la letra "b" después de "m" en español, como en la palabra ta**mb**ién:

Ejemplos:

bank	ta**b**le	ca**b**
bicycle	lo**bb**y	Bo**b**

[v] como en **v**ery (**v**éri):

Este sonido no tiene un equivalente exacto en español:

Ejemplos:

very	**v**isit	o**v**er
se**v**en	mo**v**ie	lo**v**e
ha**v**e	dri**v**e	li**v**e

[d] como en **d**octor (**d**á:kte:r):

Se pronuncia de manera similar a la letra "d" en español cuando está al comienzo de una palabra como en **d**ía, o después de "n"o "l" como en an**d**ar o fal**d**a:

Ejemplos:

day	**d**octor	**D**ecember
to**d**ay	Mon**d**ay	un**d**er
col**d**	ha**d**	en**d**

[d] como en **th**ey (déi):

Este sonido no tiene un equivalente exacto en español. Es similar al sonido de "d" en el medio de algunas palabras, por ejemplo: ca**d**a ni**d**o

Ejemplos:

they	**th**is	**th**at
mo**th**er	fa**th**er	bro**th**er
o**th**er	ba**th**e	clo**th**es

[f] como en **f**ather (fá:de:r):

Se pronuncia igual que la letra "f" en español:

Ejemplos:

father	**f**our	**f**ive
co**ff**ee	a**f**ter	tele**ph**one
ne**ph**ew	cou**gh**	photogra**ph**

[g] como en **g**o (góu):

Es similar al sonido de la letra "g" en español, como en las palabras: **g**anar- tan**g**o.

Ejemplos:

go	**g**ood	**g**reat
bi**gg**er	a**g**o	be**g**in
bi**g**	ba**g**	le**g**

[j] como en **h**e (ji:):

Usamos este sonido aquí para representar al sonido [h] del inglés, ya que en español la "h" es muda y no sería útil para ayudarnos a pronunciar las palabras del inglés. De todas maneras, el sonido en inglés es mucho más suave que el de la "j" en español, similar a la pronunciación de la "g"en **g**ente o la "j"en **j**ugo:

Ejemplos:

he	**h**ello	**h**i
home	**h**and	a**h**ead
be**h**ind	O**h**io	Okla**h**oma

[k] como en **c**ar (ka:r):

Es similar al de las letras "c" en **c**asa o "k" en **k**ilo:

Ejemplos:

car	**c**ome	**C**alifornia
kitchen	**k**ilometer	s**q**uare
li**k**e	wor**k**	spea**k**

[ks] representa la pronunciación de "x":

Ejemplos:

si**x**	bo**x**	e**x**it	Te**x**as

[l] como en **l**eg (l**e**g):

Cuando el sonido aparece al principio o en el medio de una palabra, es similar al sonido de la letra "l" en español:

Ejemplos:

leg	**l**ike	**l**ove
he**ll**o	**l**ive	fami**l**y
lunch	**l**ettuce	sa**l**ad

[m] como en **m**e (mi:):

Este sonido se pronuncia igual que en español:

Ejemplos:

Monday	**m**y	A**m**erica
me	su**mm**er	so**m**e
mother	le**m**on	ti**m**e

[n] como en **n**o (nóu):

Este sonido se pronuncia igual que en español.

Ejemplos:

no	**n**i**n**e	**n**ight
a**n**y	mo**n**ey	te**nn**is
k**n**ow	fi**n**e	i**n**

[p] como en **p**en (p**e**n):

Este sonido es similar al sonido de "p" en español:

Ejemplos:

pen	**p**ay	**p**ain
pa**p**er	air**p**ort	ha**pp**y
sto**p**	soa**p**	li**p**

[r] como en **r**ed (red):

Este sonido es diferente del sonido de "r" en español. Es un sonido mucho más suave, similar a la "r" de pe**r**o y pa**r**a.

Ejemplos:

red	**r**ight	**r**ain
write	so**rr**y	ve**r**y
a**r**e	fa**r**	thei**r**

[ng] como en lo**ng** (la:ng):

Este sonido se pronuncia igual que en español.

Ejemplos:

fi**ng**er	si**ng**le	lo**ng**er
interesti**ng**	bori**ng**	lo**ng**

[s] como en **s**ay (séi):

Es igual al sonido de la "s" en español.

No debes pronunciar una "e" delante de la "s" cuando la palabra en inglés comienza con "s"+ consonante. Por ejemplo:

slow se pronuncia **s**lou no eslow school se pronuncia **s**ku:l no esku:l

Ejemplos:

study	**s**low	**s**chool
fa**s**t	le**ss**on	pen**c**il
bu**s**	ye**s**	fa**c**e

[t] como en **t**able (téibel):

Es similar al sonido de la "t" en español:

Ejemplos:

table	**t**en	**t**ime
win**t**er	af**t**er	sis**t**er
frui**t**	bu**t**	i**t**

Cuando la "t" está entre dos vocales y sigue a una sílaba acentuada, se pronuncia muy similar a la "r" de a**r**o y ce**r**o en español. Es un sonido muy rápido y suave:

Ejemplos:

Wa**t**er (wá:rer:) bu**tt**er (b**á**re:r) ci**t**y (síri)

[w] como en **we** (wi:):
Es similar al sonido de la letra "u" en las palabras h**u**ésped y s**u**elo.

Ejemplos:

we	**w**ant	**W**ednesday
a**w**ay	al**w**ays	bet**w**een
work	**w**hat	**w**et

[y] como en **y**ou (yu:):
Este sonido es similar al sonido de la "y"en va**y**a o la "ll" en a**ll**á en varios dialectos del español:

Ejemplos:

yes	**y**ou	**y**esterday
on**i**on	law**y**er	m**u**sic
year	**u**nited	**u**niversity

[z] como en **z**ero (zírou):
Este sonido no tiene un equivalente exacto en español. Es un sonido vibrante, similar al sonido de las abejas (bzzzzzzzz).

Ejemplos:

zero	**z**oo	plea**s**e
ea**s**y	do**z**en	bu**s**y
i**s**	wa**s**	hi**s**

[z] como en **th**ank (**z**ænk):
Se pronuncia de manera similar a la letra "z" en muchos dialectos del español:

Ejemplos:

thank	**Th**ursday	**th**in
bir**th**day	no**th**ing	some**th**ing
mou**th**	mon**th**	tee**th**

[sh], **[sh]** y [*sh*]

Se trata de tres sonidos diferentes entre sí:

[sh] como en **sh**e (shi:):

Este sonido no existe en español, pero puede lograrse pronunciando "Shhh" cuando queremos que alguien se calle o haga silencio:

Ejemplos:

she	di**sh**	Engli**sh**	ca**sh**
na**t**ion	**sh**oe	**sh**ort	**s**ugar
wa**sh**	ma**ch**ine	so**c**ial	spe**c**ial

[**sh**] como en **J**uly (**sh**ulái):

Existe en algunos dialectos del español, por ejemplo en las palabras que comienzan con "**y**"como"**y**o"o "**ll**" como "**ll**amo".

Ejemplos:

John	**j**ob	**J**anuary
gym	en**j**oy	dan**g**erous
a**g**e	villa**g**e	su**gg**est

[*sh*] como en televi**s**ion (t**é**levi*sh*en):

Este sonido existe en algunos dialectos del español, por ejemplo en las palabras que comienzan con "y" como "yo" o "ll" como "llamo".

Ejemplos:

u**su**ally	vi**si**on	televi**si**on
deci**si**on	plea**su**re	ca**su**al
rou**ge**	bei**ge**	occa**si**on

[ch] como en **ch**ild (cháild):

Es similar al de las letras "ch" en español.

Ejemplos:

chair	**ch**ildren	**ch**eerful
pic**tu**re	kit**ch**en	Mar**ch**
mu**ch**	wat**ch**	sandwi**ch**

Tercera parte:

Veamos ahora 134 reglas generales de pronunciación según como se escriben las palabras. La relación entre la ortografía (spelling) y la manera de pronunciar las palabras en inglés resulta complicada para un hablante de español, así que trataremos de que puedas contar con algunas reglas generales para empezar a comprender y pronunciar más correctamente:
Escuchemos la pronunciación de las palabras en el CD:

Las vocales y los diptongos:

Palabras escritas con "a" :

• Regla N° 1:
"a" seguida de "r" en una sílaba acentuada, se pronuncia [a:]

Ejemplos:

arm (a:rm)
c**ar** (ka:r)
are (a:r)

• Regla N° 2:
"a" en una sílaba que termina en "e" silenciosa, se pronuncia [ei]

Ejemplos:

t**a**bl**e** (téibel)
h**a**t**e** (jéit)
s**a**m**e** (séim)

• Regla N° 3:
"a" seguida de "y" o "i" se pronuncia [ei]:

Ejemplos:

d**ay** (**d**éi)   r**ai**n (réin)
pl**ay** (pléi)   w**ai**t (wéit)
gr**ay** (gréi)   p**ai**nt (péint)

• Regla N° 4:
"a" seguida de otras consonantes en sílabas acentuadas, se pronuncia [æ]

Ejemplos:

at (æt)   h**a**ve (jæv)
am (æm)   h**a**nd (jænd)
after (ǽfte:r)   h**a**ppy (jǽpi)

• Regla N° 5:
"a" en las palabras "any" y "many" se pronuncia [**e**]

Ejemplos:

any (**é**ni)
m**a**ny (m**é**ni)

• Regla N° 6:
"a" en una sílaba no acentuada, se pronuncia [e]

Ejemplos:

ago (egóu)	**a**rrival (erráivel)
away (ewéi)	sign**al** (sígnel)
along (elá:ng)	sod**a** (sóude)

• Regla N° 7:
"a" en una sílaba no acentuada antes de "r"se pronuncia [e:]

Ejemplos:

doll**ar** (**d**a:le:r)
sug**ar** (shúge:r)
coll**ar** (ká:le:r)

• Regla N° 8:
"a" seguida de "ld", "lk", "ll"y "lt" se pronuncia [o:]

Ejemplos:

fa**ll** (fo:l)
wa**lk** (wo:k)
sa**lt** (so:lt)

• Regla N° 9:
"ai" se pronuncia generalmente [ei]

Ejemplos:

Sp**ai**n (spéin)
p**ai**n (péin)
r**ai**n (réin)

• Regla N° 10:
"ai" en estas palabras se pronuncia [**e**]

Ejemplos:

ag**ai**n (eg**é**n)
s**ai**d (s**ed**)

• **Regla N° 11:**
"a" en "**a**to" y "**a**tor" generalmente se pronuncia [ei]

Ejemplos:

pot**a**to (pet**é**irou)
tom**a**to (tem**é**irou)
elev**a**tor (**é**leveire:r)
refriger**a**tor (rifrí**sh**e:reire:r)

• **Regla N° 12:**
"au" generalmente se pronuncia [o:]

Ejemplos:

August (ó:gest)
automatic (o:temǽrik)
bec**au**se (bi:kó:z)
t**au**ght (to:t)

• **Regla N° 13:**
"au" en esta palabra se pronuncia [æ]

Ejemplos:

l**au**gh (læf)
l**au**ghter (lǽfte:r)

• **Regla N° 14:**
"a" seguida de "w" se pronuncia [o:]

Ejemplos:

awful (o:fel)
l**aw**n (lo:n)
j**aw** (**sh**o:)

Palabras escritas con "e" :

• **Regla N° 15:**
"e" en una sílaba acentuada delante de una consonante, se pronuncia [**e**]

Ejemplos:

egg (**e**g)
end (**end**)
t**e**n (t**e**n)
p**e**n (p**e**n)
w**e**ll (w**e**l)
s**e**ll (s**e**l)
th**e**y (d**é**i)

• Regla N° 16:
"e" en una sílaba no acentuada, se pronuncia [e]

Ejemplos:

op**e**n (óupen)
jack**e**t (**sh**ǽket)
ov**e**n (**á**ven)

• Regla N° 17:
"e" seguida de "r" en una sílaba acentuada, se pronuncia [**e:**]

Ejemplos:

pref**er** (prif**é:**r)
G**er**man (**shé:**rmen)
w**er**e (w**e:**r)
s**er**ve (s**e:**rv)

• Regla N° 18:
"e" seguida de "r" al final de una palabra o en una sílaba no acentuada, se pronuncia [e:]

Ejemplos:

sist**er** (síste:r)
broth**er** (br**á**de:r)
moth**er** (m**á**de:r)

• Regla N° 19:
"e" al final de las palabras es generalmente silenciosa:

Ejemplos:

tim**e** (táim)
stat**e** (stéit)
leav**e** (li:v)
arriv**e** (eráiv)
mor**e** (mo:r)

• Regla N° 20:
"e" no es silenciosa al final de estas palabras de una sola sílaba, donde se pronuncia [i:]

Ejemplos:

m**e** (mi:)
h**e** (ji:)
sh**e** (shi:)
w**e** (wi:)

• **Regla N° 21:**
"ea" se pronuncia generalmente [i:]

Ejemplos:

cl**ea**n (kli:n)
eat (i:t)
rep**ea**t (ripí:t)
pl**ea**se (pli:z)
d**ea**ler (**d**í:le:r)

• **Regla N° 22:**
"ea" antes de "d" se pronuncia [**e**]

Ejemplos:

r**ea**dy (r**éd**i)
ah**ea**d (ej**éd**)
h**ea**d (j**éd**)

• **Regla N° 23:**
"ea" en estas palabras se pronuncia [ei]

Ejemplos:

br**ea**k (bréik)
gr**ea**t (gréit)

• **Regla N° 24:**
"ee" se pronuncia [i:]

Ejemplos:

kn**ee**(ni:)	n**ee**d (ni:**d**)
agr**ee** (egrí:)	w**ee**k (wi:k)
fr**ee** (frí:)	f**ee**l (fi:l)

• **Regla N° 25:**
"ei" se pronuncia generalmente [i:]

Ejemplos:

rec**ei**ve (risí:v)
either (í:de:r)

• **Regla N° 26:**
"e" en palabras de origen francés se pronuncia [ei]

Ejemplos:

ball**et** (bæléi)
buff**et** (beféi)
gourm**et** (gurméi)

• **Regla N° 27:**
"e" delante de "w" se pronuncia generalmente [u:], aunque también puedes escuchar en menor medida [yu:]

Ejemplos:

n**e**w (nu:) o (nyú:)
n**e**ws (nu:z) o (nyú:z)
kn**e**w: (nu:) o (nyú:)

• **Regla N° 28:**
"e" delante de "w" en esta palabra se pronuncia siempre [yu:]

Ejemplos:

few (fyú:)

Palabras escritas con "i" :

• **Regla N° 29:**
" i " seguida de una consonante, se pronuncia [i]

Ejemplos:

it (it)
into (íntu:)
b**i**g (big)
g**i**ve (giv)

• **Regla N° 30:**
"i" en una sílaba que finaliza con "e" silenciosa, se pronuncia [ai]

Ejemplos:

ice (áis)
n**ine** (náin)
wh**ile** (wáil)
m**ine** (máin)

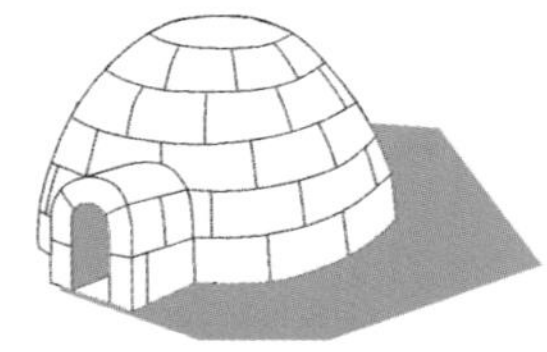

• **Regla N° 31:**
" i "en una sílaba no acentuada, se pronuncia [e]

Ejemplos:

cous**i**n (k**á**sen)
cap**i**tal (kæperel)
hol**i**day (já:l**id**ei)

• **Regla N° 32:**
"i" seguida de "gh", "ld" o "nd", se pronuncia [ai]

Ejemplos:

fl**igh**t (fláit)
n**igh**t (náit)
f**ind** (fáin**d**)
ch**ild** (cháil**d**)

• **Regla N° 33:**
"i" seguida de "r" en una sílaba acentuada, se pronuncia [**e:**]

Ejemplos:

f**i**rst (f**e:**rst)
g**i**rl (g**e:**rl)
th**i**rd (**ze:**rd)

• **Regla N° 34:**
"ie" en palabras de una sílaba, se pronuncia [ai]

Ejemplos:

t**ie** (tái)
cr**ies** (kráí**z**)
p**ie** (pái)

• **Regla N° 35:**
"ie" en palabras que terminan con "e" silenciosa, se pronuncian generalmente [i:]:

Ejemplos:

n**ie**ce (ni:s)
p**ie**ce (pi:s)

• **REGLA N° 36:**
"ie" en esta palabra se pronuncia [**e**]

Ejemplos:

fr**ie**nd (fr**é**nd)

• **REGLA N° 37:**
"ie" en esta palabra se pronuncia [ai]

Ejemplos:

d**ie**t (**d**áiet)

Palabras escritas con "o" :

• **REGLA N° 38:**
"o" en sílabas acentuadas, generalmente se pronuncia [**a**]

Ejemplos:

s**o**me (s**á**m)	l**o**ve (l**a**v)
other (**á**de:r)	M**o**nday (m**á**n**d**ei)
onion (**á**nyon)	

• **REGLA N° 39:**
"o" en una sílaba no acentuada se pronuncia **[e]**

Ejemplos:

lem**o**n (l**é**men)
less**o**n (l**é**sen)
c**o**ntain (kentéin)

• **REGLA N° 40:**
"o" seguida de "**b**", "**d**", "**g**", "**p**", "**t**" **o** "**ck**" se pronuncia [a:]

Ejemplos:

B**o**b(ba:b)	st**o**p (sta:p)
r**o**d (ra:**d**)	l**o**t (la:t)
l**o**g (la:g)	cl**o**ck (kla:k)

• **REGLA N° 41:**
"o" en una sílaba que termina en "e" silenciosa, se pronuncia [ou]

Ejemplos:

n**o**s**e** (nóuz)
ph**o**n**e** (fóun)
h**o**m**e** (jóum)

• **REGLA N° 42:**
"o" al final de algunas palabras de una sílaba, se pronuncia [u:]

Ejemplos:

d**o** (**d**u:)
t**o** (tu:)
wh**o** (ju:)

• **REGLA N° 43:**
"o" al final de algunas palabras, se pronuncia [ou]

Ejemplos:

n**o** (nóu)
s**o** (sóu)
g**o** (góu)
ag**o** (egóu)
hell**o** (jelóu)

• **REGLA N° 44:**
"o" seguida de "ld" se pronuncia [ou]

Ejemplos:

old (óuld)
s**old** (sóuld)
c**old** (kóuld)

• **REGLA N° 45:**
"o" seguida de "ff", "ng" y "ss" se pronuncia [a:]

Ejemplos:

off (a:f)
l**ong** (la:ng)
acr**oss** (ekrá:s)

• **REGLA N° 46:**
"o"seguida de "u" o **"w"**, se pronuncia [au]

Ejemplos:

out (áut)
th**ou**sand (**z**áusend)
d**ow**n (**d**áun)
br**ow**n (bráun)
h**ow** (jáu)
n**ow** (náu)
eyebr**ow** (áibrau)

• **Regla N° 47:**
"o" seguida de **"w"** se pronuncia [ou]

Ejemplos:

sh**ow** (shóu)
sn**ow** (snóu)
kn**ow** (nóu)
wind**ow** (wín**d**ou)
yell**ow** (y**é**lou)

• **Regla N° 48:**
"oa" se pronuncia generalmente [ou]

Ejemplos:

b**oat** (bóut)
r**oa**d (róud)
c**oa**t (kóut)

• **Regla N° 49:**
"oi"y "oy" se pronuncian [oi]

Ejemplos:

oil (óil)
c**oi**n (kóin)
b**oy** (bói)
enj**oy** (in**sh**ói)

• **Regla N° 50:**
"oo" seguida de "d" o "k", se pronuncia [u]

Ejemplos:

g**ood** (gu**d**)
w**ood** (wu**d**)
c**ook** (cuk)
l**ook** (luk)

• **Regla N° 51:**
"oo" seguida de "l", "m" o "n" se pronuncia [u:]

Ejemplos:

p**ool** (pu:l)
r**oom**(ru:m)
s**oon** (su:n)

• **Regla N° 52:**
"or" al final de la palabra se pronuncia [e:]

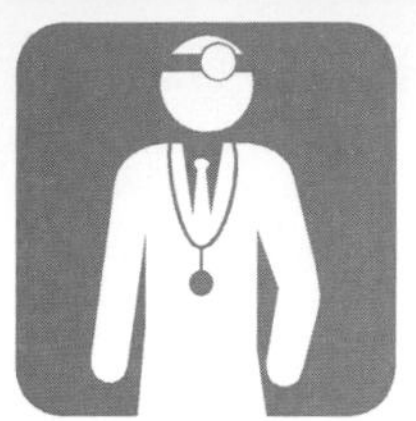

Ejemplos:

doct**or** (dá:kte:r)
col**or** (k**á**le:r)
mirr**or** (míre:r)

• **Regla N° 53:**
"ough" se pronuncia [**a**]:

Ejemplos:

en**ough** (in**á**f)
t**ough** (t**a**f)
r**ough** (r**a**f)

• **Regla N° 54:**
"o" seguida de "e" silenciosa al final, se pronuncia generalmente [u:]

Ejemplos:

sh**oe** (shu:)
wh**ose** (ju:z)
l**ose** (lu:z)

Palabras escritas con "u"

• **Regla N° 55**:
"u"en una sílaba acentuada, se pronuncia en muchos casos[u:]

Ejemplos:

J**u**ne (**sh**u:n)
r**u**ler (ru:le:r)
st**u**dent (stú:dent)

• **Regla N° 56:**
"u" en una sílaba acentuada, se pronuncia también [**a**]

Ejemplos:

up (**a**p)
b**u**t (b**a**t)
uncle (**á**nkel)
us (**a**s)

• REGLA N° 57:
"u" en una sílaba no acentuada, se pronuncia [e]

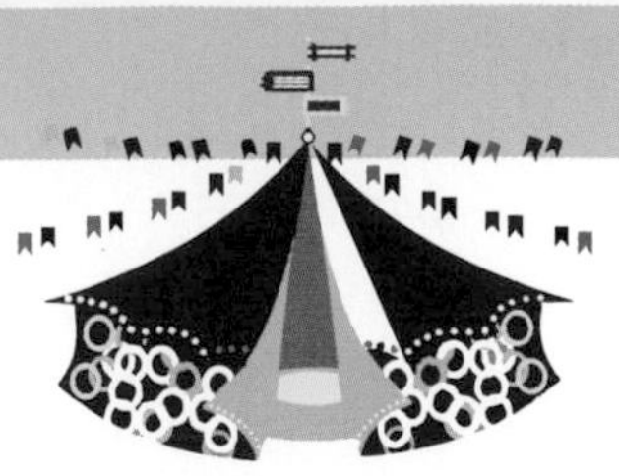

Ejemplos:

s**u**ppose (sepóuz)
circ**us** (s**é**:rkes)
col**u**mn (ká:lem)

• REGLA N° 58:
"u" se pronuncia en algunos casos [y]

Ejemplos:

union (yú:nien)
united (yu:náirid)
usual (yú:*sh*uel)
universal (yu:niv**e:**rsel)
reg**u**lar (régyu:le:r)

• REGLA N° 59:
"u" depués de "t", "d", "n", o "s" se pronuncia generalmente [u:] y en menor medida [yu:]

Ejemplos:

T**u**esday (tú:z**d**ei) o (tyú:z**d**ei)
d**u**ty (**d**ú:ti) o (**d**yú:ti)
s**u**it (su:t) o (syú:t)

• REGLA N° 60:
"ui" se pronuncia generalmente [i]

Ejemplos:

b**ui**ld (bild)
q**ui**ck (kuík)
g**ui**tar (gitá:r)

• REGLA N° 61:
"u" seguida de "r", se pronuncia [**e:**] :

Ejemplos:

urgent (**é**:r**sh**ent)
Th**ur**sday (**zé:**rz**d**ei)
t**ur**n (t**e**:rn)

• **Regla N° 62:**
"u" seguida de "sh" generalmente se pronuncia [u]

Ejemplos:

b**ush** (bush)
p**ush** (push)
c**ush**ion (kúshen)

• **Regla N° 63:**
"u" en "**u**re" al final de la palabra se pronuncia [e:]

Ejemplos:

pict**ure** (píkche:r)
nat**ure** (néiche:r)
mixt**ure** (míksche:r)

Las consonantes:

• **Regla N° 64:**
"b" y "bb" se pronuncian [b]

Ejemplos:

be(bi:)
bank (bænk)
borrow (bá:rou)
ta**b**le (téibel)
lo**bb**y (lá:bi)
ca**b** (kæb)
tu**b** (t**a**b)

• **Regla N° 65:**
"b" no se pronuncia cuando está en la misma sílaba que [m]

Ejemplos:

co**mb** (kóum)
bo**mb** (b**a:**m)
plu**mb**er (pl**á**me:r)

• **Regla N° 66**:
"c" seguida de "e", "i" o "y" se pronuncia[s]

Ejemplos:

cent (s**e**nt)
pla**c**e (pléis)
so**c**iety (sesáieri)

• **REGLA N° 67:**
"c" antes de "a", "o"y"u" se pronuncia generalmente [k]

Ejemplos:

call (ko:l)
come (k**a**m)
Customs (k**á**stems)

• **REGLA N° 68:**
"c" antes de consonante siempre se pronuncia [k]

Ejemplos:

clean (kli:n)
a**cr**oss (ekrá:s)

• **REGLA N° 69:**
"ch" se pronuncia generalmente [ch]

Ejemplos:

chair (ch**é**r)
children (chíl**d**ren)
cheerful (chíerfel)
Mar**ch** (ma:rch)
sandwi**ch** (sænwich)

• **REGLA N° 70:**
"ch" se pronuncia en algunas palabras [k]

Ejemplos:

chorus (kó:res)
me**ch**anic (mekǽnik)
Christmas (krísmes)

• **REGLA N° 71:**
"ch" en algunas palabrasse pronuncia [sh]

Ejemplos:

chef (sh**é**f)
Chicago (shikægou)
ma**ch**ine (meshí:n)

• Regla N° 72:
"c" en "**c**ial" al final de una palabra se pronuncia generalmente [sh]

Ejemplos:

so**cial** (sóushel)
spe**cial** (sp**é**shel)
offi**cial** (efíshel)

• Regla N° 73:
"c" en "**c**ian" al final de una palabra se pronuncia [sh]

Ejemplos:

physi**cian** (fizíshen)
techni**cian** (tekníshen)
politi**cian** (pa:letíshen)

• Regla N° 74:
"c" en "**c**ious" se pronuncia generalmente [sh]

Ejemplos:

deli**cious** (dilíshes)
pre**cious** (pr**é**shes)
spa**cious** (sp**é**ishes)

• Regla N° 75:
"d" o "dd" se pronuncia [d]

Ejemplos:

day (**d**éi)
desk (**d**ésk)
win**d**ow (wín**d**ou)
a**dd**ress (ǽ**d**res)
a**dd** (æ**d**)
col**d** (kóul**d**)

• Regla N° 76:
"dg" se pronuncia generalmente [sh]

Ejemplos:

ba**dg**e (bæ**sh**)
fu**dg**e (fa:**sh**)
we**dg**e (w**esh**)

• Regla N° 77:
"f" y "ff"se pronuncian [f]

Ejemplos:

fine (fáin)
foot (fu:t)
o**ff**er (á:fe:r)
o**ff**ice (á:fis)

• Regla N° 78:
"f" en esta palabra se pronuncia [v]

Ejemplos:

of (ev)

• Regla N° 79:
"g" se pronuncia generalmente [g]

Ejemplos:

go (góu)
get (g**e**t)
girl (g**e:**rl)
give (giv)
bi**gg**er (bíge:r)

• Regla N° 80:
"ge" se pronuncia generalmente [*sh*]

Ejemplos:

rou**ge** (ru:*sh*)
bei**ge** (b**é***sh*)

• Regla N° 81:
"g" antes de "e" silenciosa al final de una palabra, se pronuncia generalmente [**sh**]

Ejemplos:

a**ge** (éi**sh**)
villa**ge** (víli**sh**)

• **Regla N° 82:**
"g"delante de "e", "i" y "y" se pronuncia muchas veces [**sh**]

Ejemplos:

gym (**sh**im)
giraffe (**sh**irá:f)
dan**g**erous (déin**sh**eres)
ma**g**ic (mæ**sh**ik)

• **Regla N° 83:**
"gh" se pronuncia en muchas palabras [f]

Ejemplos:

cou**gh** (ka:f)
lau**gh** (la:f)
enou**gh** (in**á**f)

• **Regla N° 84:**
"h" se pronuncia generalmente [j]

Ejemplos:

he (ji:)
how (jáu)
here (jír)
hello (jelóu)
a**h**ead (eh**éd)**

• **Regla N° 85:**
"h" es siempre silenciosa en las siguientes palabras:

Ejemplos:

honest (á:nest)
heir (**é**ir)
honor (**á:**ner)
hour (áur)
honesty (á:nesti)

• **Regla N° 86:**
"h" es silenciosa cuando sigue a "g" "k" o "r" al principio de una palabra:

Ejemplos:

g**h**etto (gérou)
r**h**yme (ráim)
k**h**aki (ka:ki)

• **Regla N° 87:**
"j" se pronuncia generalmente [**sh**]

Ejemplos:

January (**sh**ænyu:eri)
job (**sh**a:b)
John (**sh**a:n)
July (**sh**ulái)
en**j**oy (in**sh**ói)

• **Regla N° 88:**
"k" se pronuncia [k]

Ejemplos:

kitchen (kíchen)
kilometer (kilá:merer)
li**k**e (láik)
wor**k** (w**e:**rk)
spea**k** (spi:k)
blac**k** **(**blæk)

• **Regla N° 89:**
"k" seguida de "n", generalmente no se pronuncia:

Ejemplos:

know (nóu)
knee (ni:)
knife (náif)
knew (nu:)

• **Regla N° 90:**
"l" o "ll"al principio de la palabra o en el medio, se pronuncia [l]

Ejemplos:

last (læst)
long (la:ng)
live (liv)
little (lírel)

• Regla N° 91:
"l" o "ll"al final de una palabra, se pronuncia con un sonido más largo:

Ejemplos:

a**ll** (o:l)
te**ll** (**te**l)
ca**ll** (ko:l)
peop**l**e (pí:pel)

• Regla N° 92:
"l" delante de "d" o "k" no se pronuncia en muchas palabras:

Ejemplos:

wa**lk** (wo:k)
ta**l**k (to:k)
cou**l**d (ku**d**)
shou**l**d (shu**d**)
wou**l**d (wu**d**)

• Regla N° 93:
"m" y "mm" se pronuncian [m]

Ejemplos:

me (mi:)
month (m**a**n**z**)
le**m**on (**lé**men)
su**mm**er (s**á**me:r)
I**mm**igration (imigréishen)
hi**m** (jim)
roo**m** (ru:m)

• Regla N° 94:
"n" y "nn" se pronuncian [n]

Ejemplos:

no (nóu)
new (nu:)
night (n**á**it)
mo**n**ey (m**á**ni)
te**nn**is (t**é**nis)

• REGLA N° 95:
"n" después de "m" en la misma sílaba, generalmente no se pronuncia:

Ejemplos:

colu**mn** (ká:lem)
sole**mn** (sá:lem)
hy**mn** (jim)

• REGLA N° 96:
"ng" "o "ngue" al final de las palabras siempre se pronuncia [ng]

Ejemplos:

si**ng** (sing)
lo**ng** (la:ng)
ri**ng** (ring)
to**ngue** (ta:ng)

• REGLA N° 97:
"p" y "pp" se pronuncian siempre [p]

Ejemplos:

pen (p**e**n)
pay (péi)
pain (péin)
a**pp**le (æpel)
ha**pp**y (hæpi)
sto**p** (sta:p)
soa**p** (sóup)
li**p** (lip)

• REGLA N° 98:
"ph" se pronuncia generalmente [f]

Ejemplos:

phone (fóun)
ne**ph**ew (n**é**fiu:)
autogra**ph** (á:regræf)

• REGLA N° 99:
"p" seguida de "s" no se pronuncia :

Ejemplos:

psychology (saiká:le**sh**i)
psychiatrist: (saikáietrist)
psychological (saikelá:**sh**ikel)

• Regla N° 100:
"qu" se pronuncia [k]

Ejemplos:

queen (kuí:n)
quickly (kuíkli)
quite (kuáit)
s**qu**are (sku**é:**r)

• Regla N° 101:
"r" y "rr" se pronuncian [r]

Ejemplos:

red (**réd**)
rain (réin)
doo**r** (**d**o:r)
tomo**rr**ow (temó:rou)

• Regla N° 102:
"s" "se", y "ss" se pronuncian [s]
Recuerda que no debes pronunciar una "e" delante de la "s" cuando la palabra en inglés comienza con "s"+ consonante.

Ejemplos:

slowly (slóuli)	bu**s** (b**as)**
still (sti:l)	ye**s** (yes)
sad (sæ**d**)	hou**se** (háus)
fa**s**t (fæst)	mi**ss** (mis)
pen**c**il (pénsel)	ki**ss** (kis)

• Regla N° 103:
"s" al final de las palabras se pronuncia generalmente como [z]

Ejemplos:

i**s** (iz)
ha**s** (jæz)
hi**s** (jiz)
wa**s** (w**a:**z)
eye**s** (áiz)
the**se** (di:z)

• Regla N° 104:
"s" entre vocales en una sílaba acentuada se pronuncia [z]

Ejemplos:

re**s**erve (riz**e:**rv)
de**s**erve (**d**iz**e:**rv)
vi**s**it (vízit)

• Regla N° 105:
"sc" se pronuncia [s]

Ejemplos:

scent (s**e**nt)
scenery (sí:ne:ri)
scene (si:n)
scenario (sen**é**rio)

• Regla N° 106:
"sh" se pronuncia[sh]

Ejemplos:

show (shóu)
short (sho:rt)
shirt (sh**e:**rt)
Spani**sh** (spænish)
ca**sh** (kæsh)

• Regla N° 107:
"si" se pronuncia generalmente [*sh*]

Ejemplos:

vi**si**on (ví*sh*en)
deci**si**on (disíshen)
televi**si**on (**té**leví*sh*en)

• Regla N° 108:
"s" en "**ss**ion" al final de una palabra se pronuncia generalmente [sh]

Ejemplos:

profe**ssion** (pref**é**shen)
mi**ssion** (míshen)
depr**ession** (dipr**é**shen)

• **REGLA N° 109:**
"st" o "sc" en el medio de una palabra, no se pronuncia:

Ejemplos:

castle (kǽsel)
fasten (fǽsen)
hassle (jǽsel)
muscle (m**á**sel)

• **REGLA N° 110:**
"s" en "**su**" se pronuncia generalmente [*sh*]

Ejemplos:

u**su**ally (yú:*sh*ueli)
plea**su**re(pl**é***sh*e:r)
ca**su**al (kæ*sh*uel)

• **REGLA N° 111:**
"su"se pronuncia muchas veces [sh]

Ejemplos:

sure (sho:r)
sugar (shúger)
in**su**rance (inshó:rens)

• **REGLA N° 112:**
"t" y "tt" se pronuncian generalmente [t]

Ejemplos:

ten (t**e**n)
talk (to:k)
time (táim)
be**t**ween (bituí:n)
bu**t** (b**a**t)
wen**t** (w**e**nt)
a**tt**end (et**é**nd)

• **REGLA N° 113:**
"t" en "in**t**er" no se pronuncia en sílabas no acentuadas:

Ejemplos:

in**t**erview (íne:rvyu:)
in**t**ernet (íne:rnet)
in**t**ersection (íne:rsekshen)

• Regla N° 114:
"th" al principio o en el medio de una palabra, se pronuncia generalmente [**z**]

Ejemplos:

thanks (**z**ænks)
thin (**z**in)
no**th**ing (n**á**zing)
bir**th**day (be:r**zd**ei)

• Regla N° 115:
"th" como últimas letras de una palabra se pronuncian siempre [**z**]

Ejemplos:

mou**th** (máu**z**)
too**th** (tu:**z**)
tee**th** (ti:**z**)

• Regla N° 116:
"th" al principio de una palabra de una sílaba, se pronuncia muchas veces [d]

Ejemplos:

they (déi)
that (dæt)
those (dóuz)
them (d**é**m)

• Regla N° 117:
cuando la palabra termina con "e" silenciosa, se pronuncia [d]

Ejemplos:

ba**the** (béid)
brea**the** (bri:d)

• Regla N° 118:
cuando la palabra termina en "ther"se pronuncia [d]

Ejemplos:

fa**th**er (f**á**:de:r)
mo**th**er (m**á**de:r)
bro**th**er (br**á**:de:r)

• REGLA N° 119:
"tch" también se pronuncian [ch]

Ejemplos:

ki**tch**en (kíchen)
wa**tch** (wa:ch)
ma**tch** (mæch)

• REGLA N° 120:
"th" seguido de "r" se prouncia [**z**]

Ejemplos:

three: (**z**ri:)
throat (**z**róut)
through (**z**ru:)

• REGLA N° 121:
"t" en "**t**ion" se pronuncia generalmente [sh]

Ejemplos:

na**tion** (néishen)
Immigra**tion** (imigréishen)
rela**tion** (riléishen)
atten**tion** (et**é**nshen)

• REGLA N° 122:
"t" en "tious" se pronuncia generalmente [sh]

Ejemplos:

infec**t**ious: (inf**é**kshes)
ficti**t**ious: (fiktíshes)
nutri**t**ious: (nu:tríshes)

• REGLA N° 123:
"t" en"**t**ure" se pronuncia [ch]

Ejemplos:

pic**ture** (píkche:r)
cul**ture** (k**é**lche:r)
sculp**ture** (sk**á**lpche:r)

• **REGLA N° 124:**
"v" se pronuncia generalmente [v]

Ejemplos:

very (v**é**ri)
visit (vízit)
o**v**er (**ó**uve:r)
se**v**enty (s**é**venti)
hea**v**y (j**é**vi)

• **REGLA N° 125:**
"w" seguida de una vocal en la misma sílaba, siempre se pronuncia [w]

Ejemplos:

window (wín**d**ou)
weather (w**é**de:r)
we (wi:)
work (w**e:**rk)
a**w**ay (ewéi)
bet**w**een (bitwí:n)

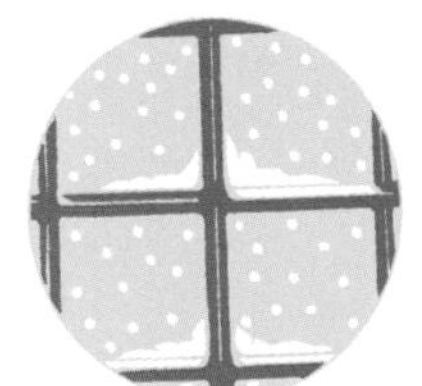

• **REGLA N° 126:**
"wh" se pronuncia generalmente [w]

Ejemplos:

when (w**e**n)
what (wa:t)
which (wich)
where (w**é:**r)

• **REGLA N° 127:**
"w" al final de una palabra es siempre silenciosa:

Ejemplos:

ho**w** (háu)
lo**w** (lóu)
kno**w** (nóu)

• **REGLA N° 128:**
"w"en esta palabra también es silenciosa:

Ejemplos:

ans**w**er (ǽnse:r)

• **Regla N° 129:**
"w" seguida de "r" también es silenciosa:

Ejemplos:

wrong (ra:ng)
wrist (ríst)
write (ráit)
wrote (róut)

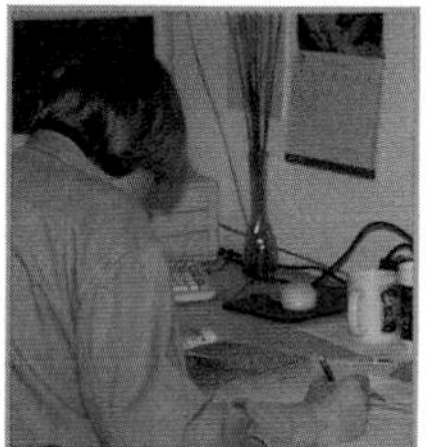

• **Regla N° 130:**
"x" se pronuncia generalmente [ks]

Ejemplos:

si**x** (siks)
fi**x** (fiks)
e**x**ercise (**é**kse:rsaiz)
e**x**cellent (**é**kselent)

• **Regla N° 131:**
"x" tiene una pronunciación poco frecuente como [z]

Ejemplos:

xylophone (záilefoun)
xerox (zíra:ks)

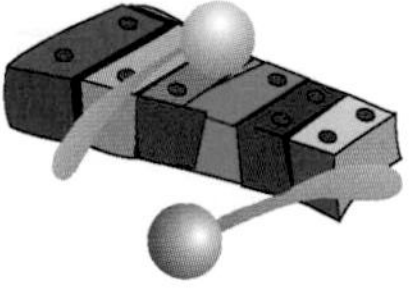

• **Regla N° 132:**
"x" se pronuncia a veces como [gz]

Ejemplos:

e**x**ample (igzǽmpel)
e**x**am (igzǽm)
e**x**act (igzǽkt)

• **Regla N° 133:**
"y" seguida de una vocal se pronuncia [y]

Ejemplos:

yes (y**e**s)
you (yu:)
year (yir)
yesterday (y**é**ste:**rd**ei)
law**y**er (ló:ye:r)
back**y**ard (bǽkya:rd)

• **Regla N° 134:**

"z" se pronuncia generalmente como [z]

Ejemplos:

zoo (zu:)
zero (zírou)
ea**s**y (i:zi)
do**z**en (dázen)

Glosario

Glossary / Glosario

AIRPORT: (é:rpo:rt) AEROPUERTO

Address: (ǽdres) dirección
Arrival: (eráivel) llegada
Arrive: (eráiv) llegar
Bag: (bæg) bolso
City: (síri) ciudad
Control: (kentróul) control
Country: (kántri) país
Customs: (kástems) aduana
Destination: (destinéishen) destino
Declare: (diklé:r) declarar
Fill in a form: (fil in e fo:rm) completar una forma
Flight: (fláit) vuelo
Immigration form: (imigréishen fo:rm) forma de inmigraciones
Immigration officer: (immigréishen á:fise:r) empleado de la aduana
Passport: (pǽspo:rt) pasaporte
Plane: (pléin) avión
Requirement : (rikuáirment) requisito
State: (stéit) estado
Stay: (stéi) estadía
Suitcase: (sú:tkeis) maleta
Travel: (trǽvel) viajar
Trip: (trip) viaje
Welcome: (wélcam) bienvenido

GREETINGS: (gri:tings) Saludos

Good afternoon: (gud ǽfte:rnu:n) Buenas tardes
Goodbye: (gud bái) Adiós
Good evening: (gud í:vning) Buenas tardes
Good morning: (gud mó:rning) buenos días
Good night: (gud náit) buenas noches
Hello: (jelóu) hola
Hello there: (jelóu de:r) hola
Hi!: (jái) ¡Hola!
How are things? (jáu a:r zings) ¿cómo van las cosas?
How are you? (jáu a:r yu:) ¿cómo está Ud? ¿cómo estas tú?
How are you doing? (jáu a:r yu: dú:ing) ¿cómo está Ud? ¿cómo estas tú?
How do you do? (jáu du: yu: du:)¿cómo está Ud? ¿cómo estas tú?
How is it going? (jáu iz it góuing)¿cómo va todo?
I´m fine: (áim fáin) estoy bien
I´m O.K, and you?: (áim ou kéi, end yu: ?) estoy bien, y tú/Ud ?
I´m very well (áim véri wel) estoy muy bien
This is: (dis iz) Este/a es ... (presentaciones)
Nice to meet you (náis te mi:t yu:) encantado de conocerte/lo/la
Nice to meet you too (náis te mi:t yu: tu:) encantado de conocerte/lo/la también
Pleased to meet you (pli:zd te mi:t yu:) encantado de conocerte/lo/la
See you later: (si: yu: léire:r) te veo más tarde
Bye: (bái) adiós

COUNTRIES AND NATIONALITIES: (kántriz ænd næshenǽliti:z) Países y nacionalidades

American: (emériken) norteamericano/a
Brazil: (brezíl) Brasil
Brazilian: (brezílyen) brasileño/a
Canada: (knede) Canadá
Canadian: (kenéidyen) canadiense
Colombia: (kela:mbie) Colombia

Colombian (kela:mbien) colombiano/a
China: (cháine) China
Chinese: (chaini:z) chino/a
England: (ínglend) Inglaterra
English: (ínglish) inglés/a
Germany: (**shé:**rmeni)Alemania**German:** (**shé:**rmen) alemán/a
Italy: (íteli) Italia
Italian: (itælyen) italiano/a
Japan: (**sh**epæn) Japón
Japanese: (**sh**æpeni:z) japonés/a
Mexico: (m**é**ksikou) México
Mexican: (m**é**ksiken) mexicano/a
Puerto Rico: (pue:rou rí:kou) Puerto Rico
Puerto Rican: (pue:ro rí:ken) puertorrique-ño/a
Spain: (spéin) España
Spanish: (spǽnish) español/a
United States of America: (yu:náirid stéits ev em**é**rike) Estados Unidos de América
Venezuela: (venezuéile)Venezuela
Venezuelan: (venezuéilen) venezolano/a

THE FAMILY (de fæmili) La familia

Aunt: (a:nt) tía
Brother: (br**á**de:r)hermano
Cousin: (k**áz**en)primo/a
Daughter: (dó:re:r) hija
Father: (fá:de:r) padre
Grandfather: (grændfá:**d**e:r) abuelo
Grandmother: (grændm**áde:**r) abuela
Grandparents: (grændp**é**rents) abuelos
Husband: (j**á**zbend)esposo
Mother: (m**áde:**r)madre
Nephew: (n**éf**yu:) sobrino
Niece: (ni:s) sobrina
Parents: (pǽrents) padres (padre y madre)
Sister: (síste:r) hermana
Son: (sa:n) hijo
Uncle: (**á**nkel) tío
Wife: (w**á**if) esposa

SPORTS AND FREE TIME: (spo.rts en**d** frí: táim) Deportes y tiempo libre

Basketball: (bǽsketbo:l) basquetbol
Bycicle: (báisikel) bicicleta
Exercise: (**é**kse:rsaiz) hacer ejercicio
Football: (fú:tbo:l) fútbol americano
Go cycling: (góu sáikling) andar en bicicle-ta
Go jogging: (góu **sh**a:ging) ir a correr
Go to the movies: (góu te de mú:vi:z) ir al cine
Go walking: (góu wo:king) ir a caminar
Gym: (**sh**im) gimnasia - gimnasio
Marathon: (mǽre**z**a:n) maratón
Play: (pléi) jugar
Relax: (rilǽks) descansar
Ride: (ráid) andar en bicicleta o a caballo
Surf the internet: (s**e:**rf de **í**ne:rn**e**t) navegar por internet
Swim: (swim) nadar
Swimming: (swíming) natación
Swimming pool: (swíming pu:l) piscina
Tennis: (t**é**nis) tenis
Walk: (wo:k) caminar
Yoga: (yóuge) yoga

PHONE CONVERSATIONS: (fóun ka:nve:rséishens) Conversaciones telefónicas

As in: (æs in) como en (para dar referencia cuando se deletrea)
Call: (ko:l) llamar
Dial: (dáiel) discar
Directory: (dair**é**kteri) guía telefónica
Directory Assistance: (dair**é**kteri esístens) información
Extension: (ikst**é**nshen) número interno
Hold on, please: (jóuld a:n pli:z) no corte, por favor
I´d like to speak to... : (áid láik te spi:k te…) Quisiera hablar con...
I'll put you through: (áil put yu: zru:) lo co-municaré
I'll transfer your call: (áil trænsfe:r yo:r ko:l) transferiré su llamada
I'm calling about ...: (áim kó:ling ebáut)

llamo por ...
Just a minute: (**shá**st e mínit) espere un minuto
Just a moment: (**shá**st e móument) espere un momento
Leave a message: (li:v e **mé**si**sh)** dejar un mensaje
Let me see...: (**l**et mi: si:) déjeme ver...
Phone: (fóun) teléfono/ llamar por teléfono
Phone number: (fóun n**á**mbe:r) número de teléfono
Ring: (ring) sonar
Speak: (spi:k) hablar
Speaking: (spi:king) Habla él/ella
Take a message: (téik e **mé**si**sh**) tomar un mensaje
Talk: (to:k) hablar
This is...: (dis iz..) soy/ habla ...
Who`s calling? (ju:z ko:ling) ¿quién llama?

PARTS OF THE DAY: (pa:rts ev de **dé**i) Partes del día

Morning: (mo:rning) mañana
Afternoon: (ǽfte:rnu:n) tarde
Evening: (í:vning) noche
Night: (náit) noche

DAYS OF THE WEEK: (déiz ev de wi:k) Días de la semana

Monday: (m**á**n**d**ei) lunes
Tuesday: (tyu:z**d**ei) martes
Wednesday: (w**é**nz**d**ei) miércoles
Thursday: (z**é:r**z**d**ei) jueves
Friday: (frái**d**ei) viernes
Saturday: (sǽre:**r****d**ei) sábado
Sunday: (s**á**n**d**ei) domingo

MONTHS OF THE YEAR: (máns ev de yir) Meses del año

January: (**sh**ænyu:eri) enero
February: (f**é**bryu:eri) febrero
March: (ma:rch) marzo
April: (éipril) abril
May: (méi) mayo
June: (**sh**u:n) junio
July: (**sh**elái) julio
August: (o:gest) agosto
September: (sept**é**mbe:r) septiembre
October: (a:któube:r) octubre
November: (nouv**é**mber) noviembre
December: (**d**is**é**mbe:r) diciembre

THE TIME (de táim) La hora

A.m.: (ei **e**m) antes de las 12 del mediodia
A quarter after..: (e kuó:re:r ǽfte:r) ...y cuarto
A quarter to ...: (e kuó:re:r tu:) menos cuarto
Half past: (ja:f pæst) y media
It's ..: (its) es la /son las ...
O'clock: (e kla:k) en punto
P.m.: (pi: **e**m) después de las 12 del mediodìa
What time is it? (wa:t táim iz it) ¿qué hora es?

JOBS: (**sh**a:bs) Trabajos

Accountant: (ekáuntent) contador/a
Adertising company: (edve:rtáizing ká:mpeni) empresa de publicidad
Advertising agency: (edve:rtáizing éi**sh**ensi) agencia de publicidad
Agency: (éi**sh**ensi) agencia
Architect: (á:rkit**e**kt) arquitecto/a
Artist: (á:rtist) artista
Bell captain: (b**e**l kǽpten) jefe de porteros en un hotel
Car dealer: (ka:r dí:le:r) vendedor de autos
Chef: (sh**e**f) chef
Clerk: (kl**e:**rk) empleado
Company: (k**á**mpeni) empresa
Cook: (kuk) cocinero/a
Doctor: (dá:kt**e**:r) doctor/a
Door person: (do:r p**é:**rson) encargado de

un edificio u hotel
Front desk clerk: (fra:nt desk kle:rk) recepcionista
Gardener: (gá:rdene:r) jardinero/a
Graphic designer: (grǽfik dizáine:r) diseñador/a gráfico/a
Job: (sha:b) trabajo
Lawyer: (lo:ye:r) abogado/a
Nurse: (ne:rs)enfermero/a
Offer: (á:fe:r) oferta
Office: (á:fis) oficina
Player: (pléier) jugador/a
Receptionist: (risépshenist) recepcionista
Salesclerk /salesperson: (séilskle:rk – séilspe:rson) vendedor/a en una tienda
Secretary: (sékreteri) secretaria
Security guard: (sekyú:riti ga:rd) guardia de seguridad
Taxi driver: (tǽksi dráive:r) conductor/a de taxi
Teacher: (tí:che:r) maestro/a
Technician: (tekníshen) técnico/a
Tourist guide: (tu:rist gáid) guía de turismo
Travel agency: (trǽvel éishensi)
Waiter: (wéirer) mesero
Waitress: (wéitres) mesera

MEANS OF TRANSPORT (mi:ns ev trǽnspo:rt) Medios de transporte

Bicycle: (báisikel) bicicleta
Bus: (bas) autobús
Cab: (kæb) taxi
Car: (ka:r) automóvil
Plane: (pléin) avión
Taxi: (tǽksi) taxi
Train: (tréin) tren

STORES: (sto:rs) Tiendas

Baker´s: (béiker´z) panadería
Drugstore: (drágsto:r) farmacia
Dry cleaner's: (drái klí:ne:rs) tintorería
Market: (má:rkit) mercado

JOB INTERVIEW: (sha:b ínne:rviu:) Entrevista laboral

Apply for a job: (epláí fo:r e sha:b)
Duty: (dyú:ti) tarea
Experience: (ikspíriens) experiencia
Last name: (læst néim) apellido
Name: (néim) nombre
Part time job: (pa:rt táim sha:b) trabajo de medio tiempo
Résumé: (résyu:mei) Currículum vitae
Skill: (skil) habilidad
Work: (we:rk) trabajar/trabajo

FORMAS DE DIRIGIRSE A UNA PERSONA:

Madam: (mǽdem) Señora
Ma´am: (ma:m) abreviatura de madam
Miss: (mis) Señorita
Ms: (mez) Sra, Srta.
Mr: (miste:r)
Mrs: (misiz)
Sir: (se:r) señor

THE SUPERMARKET (de syu:pe:rmá:rket) El supermercado

Apple: (ǽpel) manzana
Avocado: (æveká:dou) palta
Bag: (bæg) bolsa
Banana: (benǽne) plátano
Beef: (bi:f) carne vacuna
Bottle: (ba:rl)botella
Box: (ba:ks) caja
Bread: (bred) pan
Bunch: (bánch) racimo
Butter: (báre:r) manteca
Can: (kæn) lata
Carrot: (kæret) zanahoria
Carton: (a ka:rten) cartón
Cereal: (síriel) cereal
Cheese: (chi:z) queso
Chicken: (chíken) pollo
Corn: (ko:rn) maíz
Counter: (káunte:r) mostrador

Cream: (kri:m) crema
Cucumber: (kyú:k**a**mbe:r) pepino
Cup: (k**á**p) taza
Dozen: (d**á**zen) docena
Egg: (**e**g) huevo
Fish: (fish) pescado
Flour: (flaue:r) harina
Food: (fu:d) alimentos
Fruit: (fru:t) fruta
Grape: (gr**é**ip) uva
Ham: (jæm) jamón
Head: (j**e**d) planta (de una verdura)
Jam: (**sh**æm) mermelada
Jar: (**sh**a:r) frasco
Lamb: (læmb) cordero
Lemon: (l**é**men) limón
Lettuce: (l**é**res) lechuga
Loaf: (lóuf) pieza
Mango: (mængou) mango
Meat: (mi:t) Carne
Melon: (m**é**len) melón
Mushroom: (m**á**shru:m) hongo
Onion: (a:nyon) cebolla
Orange: (o:rin**sh**) naranja
Package: (pæki**sh**) paquete
Pea: (pi:) arveja
Pear: (p**é**r) pera
Pepper: (p**é**pe:r) pimienta
Pepper: (p**é**per) pimiento
Piece: (e pi:s ov) porción
Pineapple: (páinæpl) piña
Pork: (po:rk) cerdo
Potatoe: (pot**é**irou) papa
Rice: (ráis) arroz
Salt: (so:lt) sal
Shampoo: (shæmpú:) shampoo
Shaving lotion: (shéiving lóushen) loción de afeitar
Shelf: (sh**é**lf) estante
Shopping list: (sha:ping list) lista de compras
Soap: (sóup) jabón
Strawberries: (stró:be:ri) fresas
Sugar: (shu:ge:r) azúcar
Toiletries: (tóiletri:z) Artículos de tocador
Tomatoe: (tem**é**irou) tomate
Toothpaste: (tu:z péist) pasta dental
Tube: (tyu:b) tubo
Vegetables: (v**ésh**etebels) verduras
Yogurht: (yo:ge:rt) yogurht

The hotel: (de jout**é**l) El hotel

Baggage: (bægi**sh**)
Bar: (ba:r) bar
Check in: (ch**e**k in) registrarse en un hotel
Check out: (ch**é**k **á**ut) retirarse de un hotel
Coffee store: (ká:fi sto:r) cafetería
Conference room: (ká:nfe:rens ru:m) salón de conferencias
Corridor: (kó:ride:r) pasillo
Elevator: (**é**leveire:r) ascensores
Escalator: (**é**skeleire:r) escalera mecánica
Gift store: (gift sto:r) tienda de regalos
Guest: (g**é**st) huésped
Hall: (jo:l) salón
Hotel administration: (jout**é**l edministréishen) administración del hotel
Lobby: (la:bi) lobby
Registration card: (r**esh**istréi**sh**en ka:r**d**) tarjeta para registrarse en el hotel
Reservation: (r**e**ze:rvéishen) reserva
Single room: (síngel ru:m) habitación simple

Work tools: (we:rk tu:lz) Herramientas de trabajo

Clip: (klip) clip
Computer: (ka:mpyú:re:r) computadora
Copy paper: (ka:pi péipe:r) papel para copias
Desk: (d**e**sk) escritorio
Envelope: (**é**nveloup) sobre
Eraser: (iréize:r) goma de borrar
Fax machine: (fæks meshí:n) fax
Paper: (péiper) papel
Pen: (p**e**n) bolígrafo
Pencil: (p**é**nsil) lápiz
Photocopier: (fóutouka:pie:r) fotocopiadora
Printer: (príne:r) impresora
Scale: (skéil) balanza
Scanner: (skæne:r) escáner
Stapler: (stéipler) engrapadora
Stationery: (stéishene:ri) artículos de oficina

Holidays and special days: (há:lideiz end spéshel déiz) Feriados y días especiales

Christmas: (krísmes) Navidad
Halloween: (jælewi:n) Noche de brujas
Independence Day: (indepéndens déi) Día de la Independencia
New Year: (nu: yir) Año Nuevo
Valentine´s Day: (vælentainz déi) Día de los enamorados

The car (de ka:r): El automóvil

Accelerator: (akséle:reire:r) acelerador
Battery: (bæte:ri) batería
Boot: (bu:t) capot
Brake: (bréik) freno
Clutch: (klách) embrague
Engine: (énshin) motor
Fender: (fénde:r) paragolpes
Gear box: (gie:r ba:ks) caja de cambios
Headlight: (jédlait) luz
Make: (méik) marca
Mirror: (míre:r) espejo
Model: (ma:del) modelo
Parking brake: (pá:rking bréik) freno de manos
Radiator: (réidieire:r) radiador
Steering wheel: (stiring wi:l) volante
Tire: (táie:r) goma
Trunk: (tránk) maletero
Wheel: (wi:l) rueda
Windscreen: (wíndskri:n) parabrisas

The Traffic: (de træfik) El tránsito

Bus stop: (bas sta:p) parada de autobús
Crosswalk: (krá:swo:k) cruce peatonal
Driver license: (dráive:r láisens) licencia de conductor
Driver test: (dráiver test) examen para conducir
Eye test: (ái test) examen de la vista
Freeway: (frí:wei) autopista
Gas station: (gæs stéishen) gasolinera
Gasoline: (gæselin) gasolina
Handbook: (hændbuk) manual
Highway: (jáiwei) autopista
Intersection: (íne:rsekshen) cruce de calles
Lane: (léin) carril de una autopista
Left: (left) izquierda
Limit: (límit) límite
Parking lot: (pá:rking lot) parqueo
Pedestrian: (pedéstrien) peatón
Right: (ráit) derecha
Speed: (spi:d) velocidad
Toll: (tóul) peaje
Traffic light: (træfik láit) semáforo
Traffic sign: (træfik sáin) señal de tránsito
Turn: (te:rn) doblar/giro
Turnpike: (té:rnpaik) autopista con peaje
Two way: (tu: wéi) doble sentido
U turn: (yu: te:rn) girar en U
Yield: (yi:ld) ceder el paso

Clothes: (klóudz) La ropa

A pair of.: (e pe:r ev) un par de ...
Bag: (bæg) bolsa
Blouse: (bláus) blusa
Boot: (bu: t) botas
Coat: (kóut) abrigo
Dress: (dres) vestido
Dressing room: (drésing ru:m) probador
Fit: (fit) quedar bien (una prenda)
Glasses: (glæsiz) anteojos
Gloves: (gla:vz) guantes
Hat: (jæt) sombrero
Jacket: (shækit) chaqueta
Jeans: (shi:ns) pantalones de jean
Large: (la:rsh) grande
Match: (mæch) combinar
Medium: (mí:diu:m) mediano
On sale: (a:n séil) en oferta
Pants: (pænts) pantalones largos
Raincoat: (réinkout) impermeable
Scarf: (ska:rf) bufanda
Shirt: (she:rt) camisa
Shoes: (shu:z) zapatos
Shorts: (sho:rts) pantalones cortos
Size: (sáiz) talla
Skirt: (ske:rt) falda
Small: (smo:l) pequeño

Socks: (sa:ks) calcetines
Suit: (su:t) traje
Suit: (su:t) quedar bien (una prenda)
Sweater: (su**é:**re:r) suéter
T–shirt: (ti: sh**e:**rt) camiseta
Tennis shoes: (t**é**nis shu:z) zapatos tenis
Tie: (tái) corbata
Umbrella: (**a**mbr**é**le) paraguas

Colors: (ká:le:rs) Los colores

Black: (blæk) negro
Blue: (blu:) azul
Brown: (bráun) marròn
Gray: (gréi) gris
Green: (gri:n) verde
Lavender: (lǽvende:r) lavanda
Light blue: (láit blu:) celeste
Navy blue: (néivi blu:) azul marino
Orange: (a:rin**sh**) anaranjado
Pink: (pink) rosa
Red: (r**e**d) rojo, pelirrojo
White: (wáit) blanco
Yellow: (y**é**lou) amarillo

Post Office: (póust á:fis) Oficina de Correos

Deliver: (dilíve:r) enviar
Delivery: (dilíve:ri) envio a domicilio
Global airmail: (glóubel **é:**rmeil) via aérea
Global economy: (glóubel iká:nemi) económico
Global express guaranteed: (glóubel iksprés gǽrenti:d) correo expreso certificado
Global express mail: (glóubal iksprés méil) correo expreso
Letter: (l**é**re:r) carta
Mail: (méil) correo – enviar por correo
Package: (pǽki**sh**) paquete
Postcard: (póustka:rd) tarjeta postal
Send: (s**é**n**d**) enviar
Wire: (wáir) girar dinero

Measurements: (mé*sh*e:rments) Las medidas

Centimeter: (s**é**ntimire:r) centìmetro
Foot: (fu:t) pie
Gallon: (gǽlen) galón
Gram: (græm) gramo
Inch: (inch) pulgada
Kilogram: (kílegræm) kilogramo
Kilometer: (kílá:mi:re:r) kilòmetro
Mile: (máil) milla
Millimeter: (mílimire:r) milìmetro
Ounce: (áuns) onza
Pound: (páund) libra
Yard: (ya:rd) yarda

The bank (de bænk) El banco

Account: (ekáunt) cuenta
ATM: (o:temǽtik t**é**ler me**shí**:n) cajero automático
Bank statement: (bænk stéitment) resumen bancario
Banking system: (bǽnking sístem) sistema bancario
Bill: (bi:l) cuenta (de electricidad, teléfono, etc.)
Borrow: (bá:rau) pedir prestado
Cash: (kæsh) dinero en efectivo
Check: (ch**e**k) cheque
Checkbook: (ch**é**kbu:k) chequera
Credit card: (kr**éd**it ka:r**d**) tarjeta de crédito
Current account: (k**é:**rent ekáunt) cuenta corriente
Debit card: (**d**é**b**it ka:r**d**) tarjeta de débito
Deposit: (dipá:zit) depósito
Free of charge: (fri: ev cha:r**sh**) sin cargo
I.D.card – Identification card (ái **d**i: ka:r**d**) documento de identidad
Interest rate: (íntrest réit) tasa de interés
Lend: (lénd) prestar
Monthly payments: (m**á**n**z**li péiment) pagos mensuales
M**ortgage:** (mó:rgi**sh**) hipoteca
Overdraft: (óuverdra:ft) sobregiro
Personal loan: (p**é**rsonel lóun) préstamo personal
Save: (séiv) ahorrar

Savings account: (séivingz ekáunt) cuenta de ahorros
Transactions: (trænsǽkshen) transacciones
Transfer: (trǽnsfe:r) tranferir dinero
Withdraw: (widdrá:) retirar dinero

Money: (máni) El dinero

Bill: (bil) billete
Coin: (kóin) moneda
Dime: (dáim) diez centavos de dólar
Dollar: (dá:le:r) dólar
Nickel: (níkel) cinco centavos de dólar
Penny: (péni) un centavo de dólar
Quarter: (kuó:rer) veinticinco centavos de dólar
Spend: (spénd) gastar dinero
Waste: (wéist) malgastar dinero

Apartment and Furniture: (apa:rtment end fe:rniche:r) El departamento y los muebles

Bathroom: (bá:zru:m) cuarto de baño
Bathtub: (bá:ztab) bañera
Bed: (bed) cama
Bedroom: (bédru:m) dormitorio
Carpet: (ká:rpet) alfombra
Ceiling: (sí:ling) techo
Chair: (cher) silla
Closet: (klóuset) ropero
Coffee table: (ká:fi téibel) mesa de centro
Couch: (káuch) sofá
Dinning room: (dáining ru:m) comedor
Door: (do:r) puerta
Floor: (flo:r) piso
Furniture: (fé:rniche:r) muebles
Kitchen: (kíchen) cocina
Lamp: (læmp) lámpara
Living room: (líving ru:m) sala de estar
Radio: (réidio) radio
Room: (ru:m) habitación
Rug: (rág) alfombra pequeña
Table: (téibel) mesa
Television: (télevi*sh*en) televisor
Wall: (wo:l) pared

Window: (wíndou) ventana

Home appliances: (jóum apláiensi:z) Artefactos para el hogar

Cooker: (kúke:r) cocina
Microwave oven: (máikreweiv áven) horno a microondas
Oven: (áven) horno
Refrigerator: (rifríshe:reire:r) refrigerador
Vacuum cleaner: (vækyú:m klí:ne:r) aspiradora
Washing machine: (wá:shing meshín) lavarropas

The Weather: (de wéde:r) El tiempo

Cloud: (kláud) nube
Cloudy: (kláudi) nublado
Cold: (kóuld) frío
Cool: (ku:l) fresco
Degrees Celsius: (digrí:z sélsies) grados centígrados
Degrees Fahrenheit: (digrí:z fǽrenjáit) grados Fahrenheit
Hot: (ja:t) caliente, caluroso
Rain: (réin) lluvia
Rainy: (réini) lluvioso
Snow: (snóu) nieve
Snowy: (snóui) nevoso
Sun: (sán) sol
Sunny: (sáni) soleado
Temperature: (témpriche:r) temperatura
Warm: (wa:rm) cálido
Weather forecast: (wéde:r fó:rkæst) pronóstico del tiempo
Wet: (wét) húmedo
What's the weather like? (wa:ts de wéde:r láik) ¿Cómo está el tiempo?
Wind: (wind) viento
Windy: (wíndi) ventoso

THE SEASONS: (de sí:zenz) Las estaciones

Fall: (fo:l) otoño
Spring: (spring) primavera
Summer: (s**á**me:r) verano
Winter: (wínte:r) invierno

THE DRUGSTORE: (de dr**á**gsto:r) La farmacia

Antibiotic: (æntibaiá:rik) antibiótico
Aspirin: (ǽspirin) aspirina
OTC: (óu ti: si:) (over the counter) (óuve:r de káunte:r) medicamentos de venta libre
Painkiller: (péinkile:r*)* calmante
Prescription: (pr**e**skrípshen) receta médica
Syrup: (sírep) jarabe

HEALTH PROBLEMS: (jélz pra:blemz) Problemas de salud

Backache: (bǽkeik) dolor de espalda
Cold (kóuld) resfriado
Cough: (Ka:f) toser- tos
Fever: (fì:ve:r) fiebre
Headache: (j**éd**eik) dolor de cabeza
Hurt: (h**e:**rt) doler
Indigestion: (indi**shé**schen) indigestión
Pulse: (pa:ls) pulso
Sick: (sik) enfermo
Sneeze: (sni:z) estornudar
Sore throat: (so:r **z**róut) dolor de garganta
Sore: (so:r) dolorida/o, irritada/o
Stomachache: (stá:mekeik) dolor de estómago
Toothache: (tu**z** éik) dolor de muelas

PARTS OF THE BODY: (Pa:rts ev de bá:di) Partes del cuerpo

Ankle: (ǽnkel) tobillo
Arm: (a:rm) brazo
Calf: (ka:f) pantorrilla
Cheek: (chi:k) mejilla
Chest: (ch**e**st) pecho
Chin: (chin) mentòn
Ear: (yir) oreja
Elbow: (**é**lbou) codo
Eye: (ái) ojo
Eyebrows: (áibrau) ceja
Eyelashes: (áilæshiz) pestañas
Feet: (fi:t) pies
Finger: (fínge:r) dedo
Foot: (fu:t) pie
Forehead: (fó:rjed) frente
Hair: (jéar) cabello
Hand: (jæn**d**) mano
Head: (j**e**d) cabeza
Knee: (ni:) rodilla
Leg: (l**e**g) pierna
Mouth: (máu**z**) boca
Neck: (n**e**k) cuello
Nose: (nóuz) nariz
Shoulder: (shóulde:r) hombro
Teeth: (ti:**z**)dientes
Toe: (tóu) dedo del pie
Tooth: (tu:z)diente
Waist: (wéist) cintura
Wrist: (rist) muñeca

AT THE RESTAURANT: (et de r**é**sterent) En el restaurante

Baked potatoes: (béikt petéirouz) papas al horno
Barbecue: (bá:rbikyu) barbacoa
Barbecue ribs: (bá:rbikyu: ribs) costillitas asadas
Beer: (bir) cerveza
Cheese cake: (chi:zkéik) torta de queso
Chocolate: (chá:klet) chocolate
Coffee: (ká:fi) café
Desserts: (diz**é:**rt) postres
Dish: (dish) plato preparado
Dressing: (dr**é**sing) aderezo
Drink: (drinks) bebida
French fries: (fr**e**nch petéirous) papas fritas
Fried chicken: (fráid chíken) pollo frito
Fried shrimps: (fráid shrimp) camarones fritos
Green salad: (gri:n sǽled) ensalada de verduras

Guacamole: (wakemóuli:) guacamole
Homemade pie: (jóummeid pái) pastel casero
Ice cream: (áis kri:m) helado
Juice: (**sh**u:s) jugo
Lasagne: (lazá:nya) lasagna
Main dish: (méin dish) plato principal
Mayonnaise: (méieneiz) mayonesa
Medium: (mí:diu:m) medianamente cocida
Menu: (m**é**nyu:) menú
Mint: (mint) menta
Oil: (óil) aceite
Onion ring: (**á:**nyon ring) anillos de cebolla
Pasta: (pæste) pasta
Peacan pie: (pí:ken pái) pastel de nueces
Pickles: (píkelz) pepinillos en vinagre
Pizza: (pí:tse) pizza
Rare: (rer) jugosa o poco asada
Seafood: (sí:fu:d) frutos del mar
Soda: (sóu**d**e) refresco
Soup of the day: (su:p ev de **déi**) sopa del día
Spaghetti: (speg**é**ri) spaghetti
Starter: (stá:rte:r) entrada
Steak: (stéik) carne asada
Tea: (ti:) té
Vanilla: (veníle) vainilla
Vinegar: (vínige:r) vinagre
Water: (wá:re:r) agua
Well done: (w**e**l d**a**n) bien cocida
Wine: (wáin) vino

VERBS: (ve**:**rbs) Verbos

Accept: (eks**é**pt) aceptar
Add (æ**d**) agregar
Agree (egrí:) estar de acuerdo
Am: (æm) soy/estoy
Answer (ǽnse:r) contestar
Are: (a:r) eres/es estás/está
Arrange: (er**é**in**sh**) organizar
Ask (æsk) preguntar
Attend (et**é**nd) concurrir
Bathe (béid) bañarse
Be like: (bi: láik) parecerse
Be: (bi:) ser, estar
Been: (bi:n) estado
Begin: (bigín) comenzar
Breathe (bri:d) respirar
Bring: (bring) traer
Buy: (bái) comprar
Change: (chéin**sh**) cambiar
Check: (ch**e**k) revisar
Clean up: (kli:n **a**p) limpiar
Clean: (kli:n) limpiar
Come back: (k**a**m bæk) regresar
Come in: (k**a**m in) entrar
Come over: (k**a**m ouve:r) ir a la casa de alguien
Come: (k**a**m) venir
Complete: (kemplí:t) completar
Contain: (kentéin) ccontener
Cook: (kuk) cocinar
Cost: (ka:st) costar
Cry: (krái) gritar, llorar
Dance: (dæns) bailar
Depend: (dip**é**nd) depender
Design: (dizáin) diseñar
Do: (du:) hacer
Drink: (**d**rink) beber
Drive: (**d**ráiv) conducir
Dust: (d**a**st) quitar el polvo
Eat out: (i:t áut) comer en un restaurante
Eat: (i:t) comer
Enjoy: (in**sh**ói) disfrutar
Enter: (**é**nte:r) ingresar
Explain: (ikspléin) explicar
Fasten: (fǽsen) ajustarse
Feel: (fi:l) sentir
Follow: (fá:lou) seguir
Forget: (feg**é**t) olvidar
Get back: (g**e**t bæk) regresar
Get: (g**e**t) conseguir, comprar, llegar
Give: (giv) dar
Go out: (góu áut) salir
Go: (góu) ir
Guess: (g**e**s) suponer
Hassle: (jǽsel) forcejear
Hate: (jéit) odiar
Have: (jæv) tener, poseer
Help: (j**e**lp) ayudar
Hope: (jóup) sperar
Improve: (imprú:v) mejorar
Introduce: (intredyiú:z) presentar
Invite: (inváit) invitar
Iron: (áiren) planchar
Is: (i:z) es/está

Kiss: (kis) besar
Know: (nóu) saber, conocer a alguien
Laugh: (læf) reir
Learn: (l**e:**rn) aprender
Leave: (l**i:**v) dejar o irse de un lugar
Like: (láik) gustar
Listen: (lísen)escuchar
Live: (liv) vivir
Look for: (luk fo:r) buscar
Look like: (luk láik) parecerse
Look: (luk) mirar
Lose: (lu:z) perder
Love: (l**a**v) amar /encantar
Make: (méik) hacer, preparar
Match: (mæch) hacer coincidir, congeniar
Mean: (mi:n) significar
Meet: (mi:t) conocer o encontrarse con alguien
Move: (mu:v) mover- mudarse
Need: (ni:**d**) necesitar
Offer: (á:fe:r) ofrecer
Open: (óupen) abrir
Operate: (á:pereit) operar
Order: (á:r**d**e:r) ordenar
Paint: (péint) pintar
Park: (pa:rk) aparcar
Pass: (pæs) aprobar
Pay: (péi) pagar
Pick up: (pik **a**p) recoger
Plan: (plæn) planificar
Prefer: (prif**é:**r) preferir
Prepare: (prip**é:**r) preparar
Promise: (prá:mis) prometer
Provide: (preváid) ofrecer
Push (push) empujar
Put: (put) poner
Read: (ri:**d**) leer
Receive: (risí:v) recibir
Recommend: (rekam**é**n**d**) recomendar
Relax: (ril**ǽ**ks) relajarse
Remember: (rim**é**mbe:r) recordar
Rent: (r**e**nt) rentar
Repeat: (ripí:t) repetir
Run: (r**a**n) correr
Say: (s**é**i) decir
See: (si:) ver
Seem: (si:m) parecer
Sell: (s**e**l) vender
Serve (s**e:**rv) servir
Shine: (sháin) brillar
Show: (shóu) mostrar
Sign: (sáin) firmar
Sing: (sing) cantar
Sit: (sit) sentarse
Sleep: (sli:p) dormir
Smoke: (smóuk) fumar
Sold: (sóuld) vendido
Sound: (sáun**d**) sonar
Spell: (sp**e**l) deletrear
Start: (sta:rt) comenzar
Stay: (stéi) hospedarse
Study: (st**á**d**i**) estudiar
Suffer: (s**á**fe:r) sufrir
Suggest: (se**shé**st) sugerir
Suppose: (sepóuz) suponer
Surf: (s**e:**rf) navegar
Sweep: (swi:p) barrer
Take: (téik) tomar, llevar, tardar
Teach: (ti:ch) enseñar
Tell: (t**e**l) contar, decir, relatar
There are: (der a:r) hay (pl.)
There is: (der iz) hay (sing.)
Think: (**z**ink) pensar
Tidy: (tái**d**i) ordenar, poner en order
Try: (trái) tratar, intentar
Understand: (**a**nde:rst**ǽ**n**d**) entender
Vacuum: (vækyú:m) pasar la aspiradora
Visit: (vízit) visitar
Wait: (wéit) esperar
Want: (wa:nt) querer
Was: fue/estuvo
Wash: (wa:sh) lavar
Watch: (wa:ch) mirar
Wear: (w**e**r) usar ropa
Weigh: (wéi) pesar
Were: (wer) fueron/estuvieron
Worry: (w**é:**ri) preocuparse
Write: (ráit) escribir

NOUNS: (náuns) sustantivos:

Abilities: (abi:liti:z) habilidades
Admittance: (edmítens) admisión
Ads: (æds) avisos publicitarios
Advertising: (ǽdve:rtaizing) publicidad
Advice: (edváis) consejo

Air: (er) aire
Alcohol: (ǽlkeja:l) alcohol
Alphabet: (ǽlfebet) alfabeto
Application form: (aplikéishen fo:rm) forma de solicitud
At: (æt) arroba
Attention: (eténshen) atención
Autograph: (á:regræf) autógrafo
Avenue: (ǽvenu:) avenida
Backyard: (bǽkya:rd) patio trasero
Badge: (bæ**sh**) insignia
Ball: (bo:l) pelota
Ballet: (bæléi) balet
Bay: (béi) bahía
Belt: (b**e**lt) cinturón
Birthday: (b**é:rzd**ei) cumpleaños
Block: (bla:k) cuadra
Board: (bo:rd) cartelera
Boat: (bóut) bote
Bomb: (b**a:**m**)** bomba
Book: (buk) libro
Bowl: (bóul) tazón
Box: (ba:ks) caja
Boyfriend: (bóifrend) novio
Break: (bréik) descanso
Buddy: (b**á**ri) amigo
Buffet (beféi) bufet
Bush (bush) arbusto
Butterfly: (b**á**re:rflai) mariposa
Capital: (kǽperel) capital
Castle (kǽsel) castillo
Check: (ch**e**k) cuenta (en un restaurante)
Child: (cháild) niño/a
Children: (chil**d**ren) niños/as
Chorus (kó:res) coro
Circus (s**é**:rkes) circo
Coal: (kóul) carbón
Collar: (ká:le:r) cuello (de una prenda)
Column (ká:lem) columna
Comb: (kóum**)** peine
Common: (ká:men) común
Concert: (ká:nse:rt) concierto
Condition: (kendíshen) condición
Conference: (ká:nferens) conferencia
Conversation: (ka:nve:rséishen) conversación
Corner: (kó:rne:r) esquina
Culture: (k**é**lche:r) cultura
Cushion (kúshen) almohadón
Customer: (k**á**steme:r) cliente
Date: (**d**éit) fecha, cita
Decision: (disíshen) decisión
Depression (dipr**é**shen) depresión
Diet (dáiet) dieta
Difference: (**d**íferens) diferencia
Disco: (**d**ískou) discoteca
Dot: (da:t) punto
Down payment: (dáun péiment) anticipo
Downtown: (**d**áuntaun) centro de la ciudad
Driver: (dráive:r) conductor/a
E-mail: (i: méil) correo electrónico
End: (**e**nd) final/fin
Exit: (**é**ksit) salida
Floor: (flo:r) piso
Flowers: (fláue:rz) flores
Fork: (fo:rk) tenedor
Fridge: (fri**sh**) refrigerador
Fudge: (fa:**sh**) masa de chocolate
Fun: (f**a**n) entretenimiento
Gas: (gæs) gasolina
Ghetto (gérou) geto
Giraffe (**sh**irá:f) jirafa
Girl: (g**e**:rl) muchacha
Girlfriend: (g**é:**rlfrend) novia
Glass: (glæs) vidrio /vaso
Gourmet (gurméi) gurmet
Guitar: (gitá:r) guitarra
Guy: (gái) chicos/chicas, gente
Heir (**é**ir) heredero/a
Hill: (jil) colina
Holiday (já:l**id**ei) feriado
Home: (jóum) hogar
Hometown: (jóumtáun) ciudad natal
Honesty (á:nesti) honestidad
Honor (**á:**ner) honor
Hour (áur) hora
House: (jáuz) casa
Hymn (jim) himno
Ice (áis) hielo
Idea: (aidíe) idea
Information: (infe:rméishen) información
Installment: (instó:lment) cuota
Insurance (inshó:rens) seguro
Invitation: (invitéishen) invitación
Jaw (**sh**o:) mandíbula
Joke: (**sh**óuk) broma
Key: (ki:) llave
Khaki (ka:ki) caqui

Knife: (náif) cuchillo
Language: (lǽnguish) lenguaje
Laughter (lǽfte:r) risa
Law: (lo:) ley
Lawn (lo:n) césped
Letter: (**lé:**rer) letra, carta
Line: (láin) fila
List: (list) lista
Log (la:g) tronco
Love: (l**a**v) amor, cariños (en una carta)
Luck: (l**a**k) suerte
Machine (meshí:n) máquina
Magazine: (mægezí:n) revista
Make: (méik) marca
Man: (mæn) hombre
Marketing: (má:rkiting) comercializacíón
Meaning: (mí:ning) significado
Mechanic (mekǽnik) mecánico
Meeting: (mí:ting) reunión
Men: (m**e**n) hombres
Mess: (m**e**s) lío, desorden
Message: (**mé**si**sh**) mensaje
Metal: (m**é**rel) metal
Mice: (máis) ratones
Mission (míshen**)** misión
Mixture (míksche:r) mezcla
Moment: (móument) momento
Moon: (mu:n) luna
Mouse: (máus) ratón
Movie: (mu:vi) película
Movies: (mu:vi:z) cine
Muscle (m**á**sel) músculo
Museum: (myu:zí:em) museo
Music: (myú:zik) música
Nation (néishen) nación
Nature (néiche:r) naturaleza
Necessary: (néseseri) necesario
News (nu:z) o (nyu:z) noticias
Newspaper: (nyu:zpéiper) diario
Noise: (nóiz) ruido
Occasion: (ekéi**sh**en) ocasión
Office (á:fis) oficina
Opportunity: (epe:rtú:neri) oportunidad
Option: (á:pshen) opción
Outing: (áuting) salida
Pair: (p**e**r) par
Park: (pa:rk) parque
Party: (pá:ri) fiesta
Password: (pǽswe:rd) contraseña
People: (pí:pel) gente
Person: (p**é:**rsen) persona
Photo: (fóuro) foto
Photograph: (fóuregræf) fotografía
Physician: (fizíshen) médico
Piano: (piánou) piano
Picture: (píkche:r) foto, cuadro
Place: (pléis) lugar
Plan: (plæn) plano
Pleasure: (pl**é***sh*e:r) placer
Plumber (pl**á**me:r) plomero
Point: (póint) punto
Politician (pa:letíshen) político
President: (pr**éz**ident) presidente
Price: (práis) precio
Problem: (prá:blem) problema
Product: (pa:dekt) productos
Profession (pref**é**shen) profesión
Protection: (pret**é**kshen) protección
Psychiatrist: (saikáietrist) psiquiatra
Psychology (saiká:le**sh**i) psicología
Queen (kuí:n) reina
Question: (ku**é**schen) pregunta
Radio: (réidiou) radio
Regulation: (regyu:léishen) reglas
Relation (riléishen) relación
Resident: (r**é**zident) residente
Rest: (r**e**st) saldo
Rhyme (ráim) rima
River: (ríve:r) río
Road (róud) camino
Rod: (ra:d) vara
Rouge (ru:*sh*) maquillaje para el rostro, lápiz labial
Sandwich (sǽnwich) sandwich
Scenario (sen**é**rio) panorama
Scene (si:n) escena
Scenery (sí:ne:ri) paisaje
Scent (s**e**nt) aroma
School: (sku:l) escuela
Sculpture (sk**á**lpche:r) escultura
Sea: (si:) mar
Seat: (si:t) asiento
Sector: (s**é**ktor) sector
Sense: (s**é**ns) sentido
Service: (s**é:**rvis) servicios
Shelf: (sh**e**lf) estante
Shopping: (sha:ping) compras
Show: (shóu) espectáculo

Sky: (skái) cielo
Society (sesáieri) sociedad
Space: (spéis) espacio
Station: (stéishen) estación
Street: (stri:t) calle
Student (stú:dent) estudiante
Subject: (sá**b**sh**e**kt) asunto
Surprise: (se:rpráiz): sorpresa
Tax: (tæks) impuesto
Test drive: (t**e**st dr**á**iv) vuelta de prueba
Theater: (zíere:r) teatro
Thing: (**z**ing) cosa
Time: (táim) tiempo
Times: (táimz) veces
Tourism: (tú:rizem) turismo
Tub (t**a**b) bañera
Union (yú:nien) sindicato
University: (yu:nive:rsiri) universidad
Vacation: (veikéishen) vacación
View: (viú:) vista
Village (víli**sh**) villa
Vision (ví*sh*en) visión
Voice: (vóis) voz
Way: (wéi) camino, manera
Wedge (we**sh**) cuña
Week: (wi:k) semana
Weekend: (wí:ken**d**) fin de semana
Weight: (wéit) peso
Woman: (wúmen) mujer
Women: (wímin) mujeres
Wood: (wud) madera
World: (w**e:**rl**d**) mundo
Xerox (zíra:ks) fotocopiar
Xylophone (záilefoun) xilofono
Year: (yir) año
Zoo (zu:) zoológico

Adjectives: (æ**sh**etivz) Adjetivos

Able: (éibel) capaz
Absent-minded: (æbsent-máindid) distraído/a
Angry: (ængri) enojado
Awful (o:fel) feo/a, horrible
Bad: (bæd) malo
Beautiful: (biú:rifel) hermoso/a lindo/a
Beige: (bé*sh*) beige
Better: (b**é**re:r) mejor
Big: (big) grande
Blind: (bláin**d**) ciego/a
Boring: (bó:ring) aburrido/a
Busy: (bízi) ocupado/a
Cheerful: (chí:rfel) alegre
Comfortable: (k**á**mfe:rte:rbel) cómodo
Cool: (ku:l) muy bueno/a
Creative: (kriéiriv) creativo
Curly: (k**é**:rli) enrulado
Dangerous: (**dé**in**sh**eres) peligroso
Dark: (**d**a:rk) oscuro
Delicious: (**d**ilíshes) delicioso
Difficult: (**d**ífikelt) difícil
Dirty: (**dé:**ri) sucio
Double: (**dá**bel) doble
Early: (**é:**rli) temprano
Easy: (í:zi) fácil
Economical: (ikená:mikel) económico
Efficient: (efíshent) eficiente
Excellent: (**é**kselent) excelente
Expensive: (iksp**é**nsiv) caro
Fair: (f**e**:r) rubio/a
Far: (fa:r) lejos
Final: (fáinel) final
Fictitious: (fiktíshes) ficticio/a
Fine: (fáin) bien
Friendly: (fr**é**ndli) cordial
Funny: (f**á**ni) gracioso, divertido
Glad: (glæd) alegre
Good: (gud) bueno
Great: (gréit) fantástico
Happy: (jæpi) felíz
Hard: (ja:r**d**) difícil
Hardworking: (já:rdwe:rking) trabajador
Heavy: (j**é**vi) pesado
Homesick: (jóumsik) nostalgioso
Honest: (á:nest) honesto
Important: (impó:rtent) importante
Incredible: (inkr**é**dibel) increíble
Infectious: (inf**é**kshes) infeccioso/a
Intelligent: (intéli**sh**ent) inteligente
Interesting: (íntresting) interesante
International: (internæshenel) internacional
Last: (læst) último
Late: (léit) tarde
Like: (láik) similar
Little: (lírel) pequeño
Lonely: (lóunli) solitario

Long: (la:ng) largo
Low: (lóu) bajo
Loyal: (ló:yel) lea
Lucky: (l**á**ki) afortunado
Magic: (mǽ**sh**ik) mágico/a
Main: (méin) principal
Mixed: (míkst) mezclado/a
New: (nu:) nuevo
Nice: (náis) agradable
Nutritious: (nu:tríshes) nutritivo/a
O.K: (óu kéi) muy bien, de acuerdo
Official (efíshel) oficial
Old: (óuld) viejo, antiguo
Overweigtht: (óuve:rweit) excedido en peso
Patient: (péishent) paciente
Perfect: (p**é**rfekt) perfecto
Popular: (pá:pyu:ler) popular
Powerful: (páue:rfel) poderoso/a
Precious: (pr**é**shes) preciado, querido
Pretty: (príri) bonito
Psychological (saikelá:**sh**ikel**)** psicológico/a
Quick (kuík) rápido/a
Ready: (r**é**di) listo
Rectangular: (rektǽngyiu:le:r) rectangular
Regular (régyu:le:r) regular
Relaxing: (rilǽksing) relajado
Reliable: (riláiebel) confiable
Responsible: (rispá:nsibel) responsable
Right: (ráit) correcto/a
Right: (ráit) correcto/a
Rough: (r**á**f) áspero, desparejo
Sad: (sæd) triste
Safe: (séif) seguro, a salvo
Short: (sho:rt) de baja estatura, corto
Smelly: (sm**é**li) oloroso/a
Social (sóushel) social
Solemn (sá:lem) solemne
Spacious: (sp**é**ishes) espacioso
Special: (sp**é**shel) especial
Square: (sku**é**:r) cuadrado
Straight: (stréit) lacio - derecho
Sweet: (swi:t) dulce
Tall: (to:l) alto
Terrible: (t**é**ribel)
Thin: (**z**in)delgado
Tidy: (tái**d**i) ordenado
Tired: (táie:rd) cansado
Tiring: (táiring) cansador
Total: (tóurel) total
Tough: (taf) difícil, violento
True: (tru:) verdadero/a
Typical: (típikel) tìpico
United: (yu:náirid) unido/a unidos/as
Universal (yu:niv**e:**rsel) universal
Untidy: (**a**ntáidi) desordenado
Usual (yú:*sh*uel) usual
Wavy: (wéivi) ondulado
Whole: (jóul) entero
Worried: (wé:rid) preocupado
Worse: (we:rs) peor
Wrong: (ra:ng) incorrecto/a, equivocado/a
Young: (ya:ng) jóven

POSSESSIVE ADJECTIVES: (pez**é**siv ǽ**sh**etivz) Adjetivos posesivos

My: (mái) mi
Your: (yo:r) tu; su; de usted, de ustedes
His: (jis) su (de él)
Her: (je:r) su (de ella)
Its: (its) su (de animal o cosa)
Our: (aue:r) nuestro/a
Their: (de:r) su (de ellos/as)

AUXILIARIES: (a:gzí:lieri:z) Auxiliares

Can: (kæn) Poder (para abilidad y pedidos informales)
Could: (kud) Poder (para pedidos formales)
Did: (**did**) auxiliar para el pasado simple
Do: (**d**u:) auxiliar para el presente simple
Does: (**da**z) auxiliar para presente simple
Have to: (hæv te) auxiliar que indica necesidad
May: (méi) Poder (para pedir permiso)
Must: (m**a**st) deber, estar obligado, deber de
Should: (shu**d**) deber (para dar consejos)
Will: (wil) auxiliar para el futuro
Would: (wud) auxiliar para ofrecer o invitar

ADVERBS: (ǽdve:rbs) Adverbios

A bit: (e bit) un poco

A few: (e fyu:) unos pocos
A little (e lírel) un poco
A lot: (e la:t) mucho
Absolutely: (æbselú:tli) absolutamente
Across: (ekrá:s) a través, en frente de
Actually: (ǽkchueli) realmente
After: (ǽfte:r) después
Again: (eg**é**n) otra vez
Ago: (egóu) atrás
Also: (ó:lsou) también
Always: (ó:lweiz) siempre
Around: (eráund) alrededor
As: (æz) como (para comparar)
Enough: (in**á**f) suficientemente
Ever: (**é**ve:r) alguna vez
Every day: (**é**vri **d**éi) todos los días
Exactly: (igzǽktli) exactamente
Finally: (fáineli) finalmente
First: (f**e:**rst) en primer lugar, primero
Generally: (**shé**nereli) generalmente
Here: (jir) aquí, acá
In fact: (in fækt) de hecho
Just: (**sha**st) recién
Late: (léit) tarde
Never: (n**é**ve:r) nunca
Next to: (n**é**kst tu:) al lado de
Next: (n**é**kst) próximo
No: (nóu) no
Not: (na:t) no
Often: (á:ften) a menudo
Once: (uáns) una vez
Only: (óunli) solamente
Outside: (autsáid) afuera
Over there: (óuve:r de:r) allá
Perfectly: (p**é:**rfektli) perfectamente
Pretty: (príri) muy
Quite: (kuáit) bastante
Rarely: (r**é**rli) raramente
Really (rí:eli) realmente
Right here: (ráit jir) aquí mismo
Right now: (ráit náu) ahora mismo
Since: (sins) desde
Slowly: (slóuli) lentamente
So: (sóu) así, de esta manera
Sometimes: (s**á**mtaimz) a veces
Soon: (su:n) pronto
Still: (stil) aún, todavía
Then: (d**e**n) entonces
There: (d**e**r) allá, allí
Through: (**z**ru:) a través
Tomorrow: (temó:rou) mañana
Tonight: (tenáit) esta noche
Too: (tu:) también
Twice: (tuáis) dos veces
Usually: (yú:*sh*ueli) usualmente
Very: (v**é**ri) muy
Well: (w**e**l) bien
Yes: (y**e**s) sí
Yesterday: (yéste:r**d**ei) ayer
Yet: (y**e**t) aún, todavía

DETERMINERS: (dit**é**:rminers) Modificadores

All: (o:l) todos
Both: (bóuz) ambos/as
Less: (l**e**s) menos
Little: (lírel) pequeño
More: (mo:r) más
Other: (**á**de:r) otro

INDEFINITE PRONOUNS: (in**dé**finit próunaunz) Los pronombres indefinidos

Anybody: (éniba:**d**i) alguien (interrogativo), nadie (negativo)
Anyone: (**é**niuan) alguien (interrogativo), nadie (negativo)
Anything: (**é**ni**z**ing) algo (interrogativo) nada (negativo)
Everything: (**é**vri**z**ing) todo
Nothing: (n**á****z**ing) nada
One: (w**a**n) el de/la de
Somebody: (s**á**mbe**d**i) alguien (afirmativo)
Someone: (s**á**muen) alguien (afirmativo)
Something: (s**á**m**z**ing) algo

SUBJECT PRONOUNS: (s**á**b**sh**ekt próunaunz) Pronombres Sujeto

I: (ai)Yo
You: (yu:)Tú; Ud.; Uds.
He: (ji:) El

She: (shi:) Ella
It: (it)Eso/a
We: (wi:) Nosotros/as
They: (déi) Ellos/as

OBJECT PRONOUNS: (**á:**b**sh**ekt próunaunz) Pronombres Objeto

Me: (mi:) me, a mí
You: (yu:) te, a ti, a Ud., a Uds.
Him: (jim) lo,le (a él)
Her: (je:r) la, le, a ella
It: (it) lo/le (a ello)
Us: (**a**s) nos, a nosotros/as
Them: (d**é**m) les, las, los, a ellos/as

POSSESSIVE PRONOUNS: (pez**é**siv próunaunz) Pronombres posesivos

Mine: (máin) mio/a
Yours: (yo:rz) tuyo/a; suyo/a
His: (jiz) de el
Hers: (jerz) de ella
Ours: (á**u**e:rz) nuestros/as
Theirs: (de:rz) de ellos/as

DEMONSTRATIVE PRONOUNS: (dimá:nstrativ próunaunz) Pronombres demostrativos

This: (dis) esta/este/esto
That: (dæt) esa/ese/eso; aquella/ aquel/ aquello
These: (di:z) estas/estos
Those: (dóuz) esas/os, aquellas/os

ARTICLES: (á:rtikels) Los artículos:

A: (e) un, una
An: (æn) un, unos
The: (de) el, la, las, los.

LINKING WORDS: (linking w**e:**rdz) Conectores

And: (en**d**) y
But: (b**a**t) pero
Either ... or: (í:de:r ...o:r) o ... o
Neither ... nor: (ní:de:r no:r) ni ... ni
Or: (o:r) o
So: (sóu) por lo tanto,
While: (wáil) mientras

PREPOSICIONES

About: (ebáut) acerca de
Above: (eb**á**v) arriba de
Across: (ekrá:s) enfrente de / a lo ancho
At: (æt) a, en
Behind: (bijáind) detrás
Below: (bilóu) debajo de
Between: (bitu:ín) entre
By: (bái) en (medios de transporte)
Down: (dáun) abajo
During: (**d**ú:ring) durante
For: (fo:r) for, para
From: (fra:m) de, desde
In front of: (in fra:nt ev) enfrente de
In: (in) en
Into: (intu:) dentro
Near: (ni:r) cerca
Next to: (n**e**ks tu:) junto a
Of: (ev) de
On: (a:n) sobre
Out: (áut) afuera
Over: (óuve:r) por encima
Per: (pe:r) por
Through: (**z**ru:) a través
To: (tu:) a, para alguien, hacia
Under: (**á**nde:r)debajo
Up: (**a**p) arriba
With: (wid) con
Without: (widáut) sin

EXPRESSIONS: (ikspr**é**shens) Expresiones

All right: (o:l ráit) está bien
Certainly! (s**é**:rtenli) ¡Seguro!

Cheer up!: (chir ap) ¡Alégrate!
Come in: (kam in)Pase/a.
Come on in: (kam a:n in) Pase/a
Come this way: (kam dis wéi) Venga/n por aquí
Could you repeat? (kud yu : ripi :t) Podría repetir ?
Don´t worry!: (dóunt wé:ri) ¡no te preocupes/se preocupe!
Excuse me: (ikskyu:z mi:) Disculpe
For example: (fer igzǽmpel) Por ejemplo
Good luck!: (gud lak) ¡buena suerte!
Great idea!: (gréit aidíe) ¡gran idea!
Great: (gréit) ¡Fantástico!
Help yourself!: (jelp yursélf)¡Sirvete algo!
Help yourselves !: (jelp ye:rselvz) ¡Sírvanse algo!
Here you are: (jir yu: a:r) Aquí tiene/s
Holy smoke! (jóuli smóuk) ¡Santo Cielo!
How about? (jáu abáut)¿Qué te parece ...? ¿Qué tal si ...?
How can I get to ...? (jáu ken ai get tu:) ¿Cómo puedo llegar a ...?
Hurry up!: (jári ap) Apúrate/Apúrese
I agree with you: (ái egri: wid yu:) Estoy de acuerdo contigo/Ud.
I don´t know: (ái dóunt nóu) no lo sé
I don´t understand: (ái dóunt ande:rstǽnd) no entiendo
I´m cold: (áim kóuld) tengo frío
I´m coming!: (áim káming) Ya voy!
I´ve got a cold: (áiv ga:t e kóuld) tengo un resfriado
I'm afraid... (áim efréid) Me temo que ...
I'm sorry: (áim sa:ri) Lo siento
It depends: (it dipéndz) depende
It´s a deal!: (its e di:l) ¡Trato hecho !
Keep well! (ki:p wel) ¡Que sigas bien!
Let me think: (let mi: zink) : déjeme/déjame pensar
Let's...: (lets) (Invitación o sugerencia para hacer algo)
Look after yourself: (luk ǽfte:r ye:rsélf) Cuídate/Cuídese
My name´s: (mái néimz) mi nombre es...
Of course! (ev ko:rs) ¡Por supuesto!
Oh, dear! (óu dir) ¡Oh, pobre! Para expresar pena por alguien
Please: (pli:z) Por favor
Right now: (ráit náu) en este momento
...say... : (séi) digamos (cuando sugieres algo)
See you: (si: yu:) nos vemos...
Soaked to the bones: (sóukt te de bóunz) empapado hasta los huesos
Sounds good!: (sáundz gud) Suena bien.
Sure: (sho:r) seguro
Take a seat: (téik e si:t) tome asiento
Take care! (téik ke:r)¡Cuídate!
Tell me about: (tel mi: abáut) Cuéntame-Cuénteme sobre...
Terrific! (teríﬁk) Fantástico
Thank you for...: (zænk yu: fo:r) Gracias por ...
Thank you very much: (zænk yu: véri mach) muchísimas gracias
Thank you: (zænk yu:) gracias
Thanks a lot: (zænks e la:t) muchas gracias
Thanks: (zænks) gracias
That´s right: (dæts ráit) así es
That's settled! (dæts sételd) ¡Está resuelto!
There you are. (der yu: a:r)
To be good at: (te bi: gud æt) ser bueno para/en
What a mess! (wa:t e mes)¡Qué desorden!
What about ...? (wa:t ebáut) ¿Qué te parece ...? Para sugerir
What do you do? (wa:t du: yu: du:) ¿ a qué te dedicas?
What´s your job? (wa:ts yo:r sha:b) ¿cuál es tu trabajo)
What´s your name: (wa:ts yo:r néim) ¿cuál es tu nombre?
What's the matter? (wa:ts de máre:r) ¿qué sucede?
What's the meaning of ...?(wa:ts de mí:ning ev) ¿Qué significa...?
What's wrong (with)? (wa:ts ra:ng wid) ¿Qué hay de malo?
Why don't ...? (wái dóunt) ¿Por qué no ...?
You never know: (yu: néve:r nóu) nunca se sabe
You should... (yu: shud) Usted debería...
You´re kidding: (yur kíding) estás bromeando
You´re right: (yu:r ráit) tienes razón
You'd better (yu:d bére:r) Sería mejor que ...

You're welcome: (yú:r wélkem) no hay de qué

INTERROGATIVE WORDS: (inte:ra:getiv we:rdz) Palabras interrogativas

How about...?: (jáu ebáut…) ¿qué te parece? ¿qué tal si?
How far: (jáu fa:r)¿a qué distancia?
How long: (jáu la:ng)¿cuánto tiempo?
How many: (jáu **mé**ni)¿cuántos/as?
How much: (jáu m**a**ch)¿cuánto/a?
How often? (jáu á:ften)¿cuántas veces?
How old? (jáu óuld)¿cuántos años? ¿qué edad?
How strange!: (jáu stréin**sh**) ¡qué raro!
How: (jáu) ¿cómo?
What is/are .... like? (wa:t iz/a:r …láik) ¿cómo es…?
What kind of…? (wa:t káind ev)¿qué clase de... ?
What: (wa:t) ¿qué?
When: (w**e**n)¿cuándo?
Where: (wer)¿dónde?
Which: (wích) ¿ cuál ?
Who: (ju:) ¿quién?
Whose: (ju:z) ¿de quién?
Why: (wái) ¿por qué?

CARDINAL NUMBERS: (ká:rdinel **ná**mbe:rz) Números cardinales

Zero: (zírou) cero
One: (w**a**n) uno
Two: (tu:) dos
Three: (**z**ri:) tres
Four: (fo:r) cuatro
Five: (fáiv) cinco
Six: (síks) seis
Seven: (s**é**ven) siete
Eight: (éit) ocho
Nine: (náin) nueve
Ten: (t**e**n) diez
Eleven: (il**é**ven) once
Twelve: (tw**e**lv) doce
Thirteen: (ze:rtí:n) trece
Fourteen: (fo:rtí:n) catorce
Fifteen: (fiftí:n) quince
Sixteen: (sikstí:n) dieciseis
Seventeen: (seventí:n) diecisiete
Eighteen: (eití:n) dieciocho
Nineteen: (naintí:n) diecinueve
Twenty: (tw**é**ni) veinte
Thirty: (**z**é:ri) treinta
Forty: (fó:ri) cuarenta
Fifty: (fífti) cincuenta
Sixty: (síksti) sesenta
Seventy: (s**é**venti) setenta
Eighty: (éiri) ochenta
Ninety: (náinri) noventa
Hundred: (j**á**ndred) cien
Thousand: (**zá**unsend) mil
Million: (mílien) millón
Billion: (bílien) billón (mil millones)

ORDINAL NUMBERS: (ó:rdinel **ná**mbe:rz) Números ordinales

First: (f **e:**rst) primero
Second: (s**é**kend) segundo
Third: (**ze:**r**d)** tercero
Fourth: (fo:r**z**)cuarto
Fifth: (fif**z**) quinto
Sixth: (síks**z**)sexto
Seventh: (s**é**ven**z**) séptimo
Eighth: (éi**z**) octavo
Ninth: (náin**z**)noveno
Tenth: (t**e**n**z**) décimo
Eleventh: (il**é**ven**z**)décimo primero
Twelveth: (tw**e**l**z**)décimo segundo
Twentieth: (tw**é**ntie**z**) vigésimo
Thirtieth: (**zé:**rtie**z**) trigésimo